CE JOURNAL APPARTIENT À

Nikki J. Maxwell

PERSONNEL & CONFIDENTIEL

Si vous le trouvez, SVP retournez-le-moi.
Récompense offerte!

INTERDICTION DE MATER!! ☹

REMERCIEMENTS

J'aimerais remercier tous ceux qui ont fait en sorte que mon rêve devienne réalité.

Liesa Abrams, ma fantastique éditrice, pour avoir défendu avec passion ce projet, qu'elle aimait autant que moi.

Lisa Vega, ma super directrice artistique, pour son œil averti et sa patience sans limites.

Daniel Lazar de chez Writers House, mon merveilleux agent qui ne dort JAMAIS. Merci d'avoir cru en ce livre alors qu'il n'était encore qu'un brouillon de 50 pages sur une jeune fille décalée et sa marraine sorcière. Merci aussi à mes agents Maja Nikolic, Cecilia de la Campa, et Angharad Kowal, responsables des droits étrangers chez Writers House.

Nikki Russell et Leisl Adams, mes très talentueux assistants, dont le travail acharné m'a permis de terminer ce livre dans les délais.

Merci également à Doris Edwards, ma mère, pour m'avoir soutenue contre vents et marées et m'avoir assuré que ma prose était drôle, même quand elle ne l'était pas.

Merci à mes filles, Erin et Nikki Russell, pour leur amour et leur soutien.

Merci à Arianna Robinson, Mikayla Robinson et Sydney James, mes nièces adolescentes, les plus adorables, merveilleuses et impitoyables critiques dont un auteur puisse rêver.

Rachel Renée Russell

Traduit de l'américain par Virginie Cantin

À ma fille, Nikki, qui a tout fait pour devenir la fourmi la plus vaillante de la colonie, alors qu'en réalité, elle a toujours été un joli papillon.

Il y a des jours où je me demande si ma mère a encore UN CERVEAU. D'autres où je sais très bien qu'elle n'en a pas.

Comme aujourd'hui, par exemple.

Le drame a commencé ce matin, quand je lui ai demandé si elle était d'accord pour m'acheter le dernier iPhone. Je considère ce petit objet comme absolument essentiel à ma survie, après – peut-être – l'air que je respire.

Et puis, quel meilleur moyen pour me faire remarquer du CCC (le Club des filles Canon et super Cool), très influent au sein de ma nouvelle école privée super bourge, la Westchester Country Day, que de les éblouir avec un nouveau portable de folie?

L'année dernière, j'avais l'impression d'être la SEULE élève de TOUT le collège à ne pas en avoir ☹. Alors je m'étais acheté un vieux modèle d'occasion sur eBay.

Il était plus grand que j'aurais voulu, mais je n'aurais pas pu trouver mieux pour 12,99 $.

J'ai mis mon téléphone dans mon casier et j'ai annoncé
à tout le monde qu'on pouvait m'appeler sur mon NOUVEAU
portable, pour me raconter les derniers SUPER-potins !
Puis j'ai compté les minutes qui me séparaient
de ma nouvelle vie.

J'ai commencé à me sentir
vraiment mal quand j'ai vu
deux filles du CCC arriver
dans ma direction, en parlant
sur leurs portables.

←MOI

Elles se sont dirigées droit vers mon casier, et ont commencé
à discuter avec moi, super sympas. Puis elles m'ont invitée
à m'asseoir à leur table, à la cantine. J'ai dit « Euh... d'accord »
d'un air détaché mais au fond de moi, je sautais et
je dansais de joie.

Puis les choses se sont un peu compliquées...
Elles m'ont dit qu'elles avaient entendu parler
de mon super-portable top design à 600 $

6

et que tout le monde (en fait, les autres membres du club) attendait impatiemment de le voir. J'étais sur le point d'expliquer que j'avais parlé de recevoir des SUPER-potins sur mon NOUVEAU portable – et non des NOUVEAUX potins sur mon SUPER-portable –, mais je n'en ai pas eu le temps, car malheureusement, mon téléphone s'est mis à sonner.

Très fort. Trop fort. J'ai fait de mon mieux pour l'ignorer, mais les deux filles du CCC me regardaient, l'air de dire : « Alors, tu réponds ? »

Mais je ne voulais pas décrocher parce que je craignais qu'elles ne soient très déçues en voyant mon portable.

J'ai fini par céder. J'ai ouvert mon casier et j'ai pris l'appel – surtout pour arrêter cette HORRIBLE sonnerie.

«Allô? euh... Faux numéro.»
Quand je me suis retournée,
les deux filles du CCC sont
parties en courant et
en hurlant «Au secours,
au secours!»...
J'ai vite compris que ça
signifiait qu'elles ne voulaient
plus de moi à leur table,
ce que j'ai trouvé pas cool du tout.

La leçon la plus importante que j'ai retenue l'année dernière,
c'est que le fait d'avoir un portable qui craint peut
totalement détruire votre vie sociale. Car si plein de people
oublient régulièrement de mettre leurs sous-vêtements,
tous préféreraient mourir que de sortir sans leur portable.
C'est pourquoi j'ai harcelé ma mère pour qu'elle m'achète
un iPhone.

J'ai essayé d'économiser pour le payer avec mon argent,
mais c'est impossible. Parce que je suis une artiste
et que je suis totalement accro au dessin!

Genre, si je ne dessine pas chaque jour, je deviens folle !

Tout mon argent passe dans les cahiers, crayons, stylos,
stages de dessin et autres. Je suis tellement fauchée
que je ne peux même plus me payer un McDo !

Quand Maman est rentrée du centre commercial
avec un cadeau « spécial rentrée » pour moi, j'étais sûre
d'avoir deviné ce que c'était.

Elle n'arrêtait pas de répéter que le fait d'intégrer
une nouvelle école privée serait pour moi « une épreuve
stressante, mais qui me permettrait de faire un grand pas
vers l'accomplissement personnel », et de me rappeler que
le fait de « communiquer mes opinions et mes sentiments »
serait mon meilleur « mécanisme de survie ».

J'étais trop heureuse, parce que, avec

UN NOUVEAU PORTABLE,

justement, on peut

COMMUNIQUER,

n'est-ce pas ? ☺

J'ai commencé à ne plus
écouter ma mère, trop
occupée à rêver éveillée
de toutes les super-
sonneries, de la musique
et des films que je pourrai
bientôt télécharger.
Entre mon portable
et moi, ce serait
le coup de foudre !

Mais après avoir terminé son petit discours,
elle m'a fait un grand sourire, m'a prise
dans ses bras et m'a tendu... un livre !

J'ai commencé à tourner frénétiquement
les pages, croyant qu'elle avait
peut-être caché mon nouveau portable
à l'intérieur.

J'ai même pensé que c'était une bonne idée, la pub affirmait
que ce modèle était le plus mince sur le marché.

Mais j'ai fini par comprendre que ma mère ne m'avait pas
acheté de portable, et que mon soi-disant cadeau était
en fait ce ridicule petit livre! ☹

Quelle immense DÉCEPTION!

C'est alors que j'ai remarqué que toutes les pages du livre
étaient blanches.

NON! ELLE N'A PAS OSÉ!

Ma mère m'avait offert deux choses : un journal intime
et la preuve irréfutable qu'elle était vraiment en état de

MORT
CÉRÉBRALE!

Plus personne n'écrit ses sentiments les plus intimes
ni ses secrets les plus sombres dans un journal!
Et pourquoi donc, hein, POURQUOI?

Parce qu'il suffit qu'une ou deux personnes le lisent pour que
la réputation de sa propriétaire soit définitivement ruinée.

C'est sur un blog
qu'il faut raconter
toutes ces anecdotes
croustillantes, afin
que des millions
de gens puissent
les lire !

Il faut être
une superbouffonne
pour se faire
surprendre en train
d'écrire son journal intime !

C'est le pire cadeau que j'aie jamais reçu de ma vie !
J'avais envie de hurler de toutes mes forces :

« Maman, que
veux-tu que je
fasse d'un carnet
de 288 pages
blanches ??!!! »

Ce qu'il me faut, c'est un portable, MON portable,
pour pouvoir «communiquer mes opinions et
mes sentiments» à mes amis.

Attends! Je suis débile... J'oublie tout le temps qu'en fait,
je n'ai pas d'amis. Pas encore. Mais ça peut changer du jour
au lendemain et il faut que je sois prête. Avec un portable
flambant neuf dans la poche!

En attendant, je n'écrirai plus dans ce journal.

PLUS JAMAIS!

LUNDI 2 SEPTEMBRE

C'est vrai, j'avais juré de laisser tomber ce journal. Et à l'époque, j'y croyais. Je ne suis vraiment pas le genre de fille à s'installer bien confortablement devant une feuille blanche avec une boîte de chocolats et à se mettre à écrire des trucs vraiment niais sur le mec de ses rêves, son premier baiser, ou son angoisse de découvrir soudain qu'elle est la PRINCESSE d'une petite principauté méditerranéenne fréquentée par la jet-set.

<u>ÇA NE ME RESSEMBLE VRAIMENT PAS</u>!

pédicure

fringues
de créateurs

beauté

intelligence

peau
parfaite

charmante manie d'enrouler une mèche
autour de son doigt pour exciter les mec.

cheveux
brillants

manucure

chocolats
(offerts par un mec
super in love)

corps
de rêve

journal
passionnant

diadème
de princesse

MA VIE EST COMPLÈTEMENT NULLE !

Toute la journée, j'ai erré dans mon nouveau collège comme un zombie – un zombie qui porte du gloss. Personne n'a daigné me dire bonjour.

ME VOICI !!!

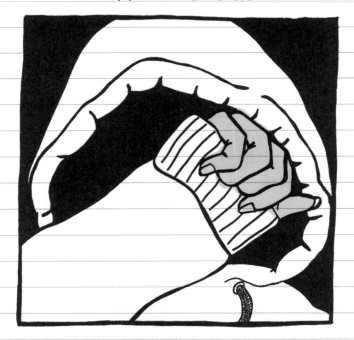

LA PLUPART DU TEMPS,

JE ME SENS INVISIBLE !

Comment je vais faire pour m'intégrer dans une école privée aussi bourge que la Westchester Country Day? Ici, il y a un Starbucks dans la cantine!

Si seulement mon père n'avait pas remporté ce fichu contrat de désinsectisation pour traiter cet établissement!

Qu'ils me reprennent cette pauvre petite bourse scolaire pour la donner à quelqu'un qui en a vraiment envie et besoin, parce que moi, JE N'EN VEUX PAS!

Il est minuit passé et je stresse car je n'ai toujours pas terminé mes devoirs. J'ai un commentaire de littérature anglaise à faire sur *Le Songe d'une nuit d'été*, de Shakespeare. Cet auteur m'a un peu surprise : j'ignorais qu'il écrivait des ouvrages pour ados.

Ça parle d'un lutin malfaisant appelé Puck, qui essaye de briser un couple adorable perdu dans une forêt enchantée.

Ensuite, ce personnage à tête d'âne débarque dans une fête et commence à s'éclater avec la reine des lutins. C'est super bizarre, comme histoire !

YEAH !!!

Nous devons répondre à trois questions concernant PUCK :

1 : Peut-on dire que Puck est le personnage principal
de la pièce? Justifiez votre réponse.

2 : Dans quelle mesure la personnalité et les agissements
de Puck donnent-ils le ton de la pièce?

3 : Utilisez votre imagination pour représenter Puck,
soit en le décrivant, soit en le dessinant.

Les deux premières questions n'étaient pas très dures
et j'y ai répondu en un rien de temps. Mais j'ai séché
sur la troisième.

Je n'avais pas la moindre idée
de la tête qu'avait Puck.

Alors j'ai essayé de l'imaginer
avec de jolies petites oreilles pointues,
et aussi sexy que :

NICK JONAS ➚

18

CORBIN BLEU   JUSTIN TIMBERLAKE

Je brûlais de savoir si le fait d'avoir un nom aussi naze
avait ou non brisé sa vie.

Je suis sûre que les autres élèves lui ont déjà trouvé
des tas de surnoms débiles.

PAUVRE PUCK! ☹

J'ai pensé à aller chercher des illustrations de Puck
sur « Wiki-quelque-chose », le site où tout le monde va.

Mais je ne me souvenais plus exactement du nom du site
et j'avais la flemme de chercher sur Google.

Quand on a frappé à ma porte, alors qu'il était très tard,
j'ai été vraiment surprise. J'ai d'abord pensé que
c'était Brianna, ma petite sœur de six ans.

La semaine dernière, elle a perdu une dent de devant
et l'a enterrée dans le jardin pour voir si elle allait repousser.
Elle n'arrête pas de faire des trucs bizarres.

D'après Maman, c'est parce qu'elle est encore très jeune.
Moi, je pense que c'est parce qu'elle a le QI
d'un poisson rouge.

Pour la faire marcher, j'ai raconté à Brianna que la petite
souris ramassait les dents de tous les enfants du monde
et les collait ensemble pour fabriquer des dentiers
pour les vieux.

Je lui ai expliqué que la petite souris serait fâchée
contre elle si elle apprenait qu'elle avait enterré sa dent
dans le jardin.

Le plus marrant, c'est qu'elle m'a crue ! Elle a déterré
la moitié des plates-bandes de Maman pour retrouver sa dent.

Depuis, Brianna est persuadée que la petite souris va venir dans sa chambre pendant la nuit et lui arracher toutes ses dents pour faire des dentiers.

Mais la plaisanterie s'est retournée contre moi. Maintenant, le soir, elle refuse d'entrer dans la salle de bains tant que je ne l'ai pas inspectée pour être sûre que la petite souris n'est pas cachée derrière le rideau de douche ou sous une pile de serviettes.

Et si je ne vais pas assez vite, Brianna a un « petit accident » sur la moquette de ma chambre.

ET SI LA **PETITE** SOURIS ÉTAIT CACHÉE LÀ?... OUPS !!!

MA PETITE SŒUR, BRIANNA

ACCIDENT 🙁

Malheureusement, j'ai appris à mes dépens que, contrairement à ce qu'affirme la publicité, Mouss'Moquette n'enlève pas toutes les odeurs.

Heureusement, ce n'était pas Brianna qui se tenait sur le seuil de ma chambre, mais mes parents.

PAPA

MAMAN

Avant que j'aie eu le temps d'ouvrir la bouche, ils se sont engouffrés dans la pièce comme ils le font toujours, ce qui m'énerve vraiment car c'est censé être MA chambre! Comme tout être humain, j'ai le droit à mon intimité, et ils n'arrêtent pas de la violer!

La prochaine fois que mes parents font irruption comme ça, je leur crierai :

« Eh, vous voulez pas EMMÉNAGER, pendant que vous y êtes! »

En tout cas, mes parents ont été surpris de me trouver
en train de faire mes devoirs, et ils m'ont demandé
comment ça se passait à l'école.

C'était trop bizarre, parce que juste au moment
où je m'apprêtais à répondre, j'ai complètement craqué
et éclaté en sanglots.

Sous le choc, mes parents m'ont regardée, puis se sont regardés sans rien dire. Finalement, Maman m'a prise dans ses bras et a dit « Ma pauvre petite choupinette », ce qui n'a fait qu'empirer les choses.

Comme si le fait de me sentir complètement décalée dans mon nouveau collège ne suffisait pas, il fallait que je subisse l'humiliation suprême : être la seule fille de 14 ans que sa mère appelle « Choupinette » ! Soudain, mon visage est devenu écarlate.

« J'ai une super-idée ! a dit mon père. Tu as été stressée ces derniers temps, à cause du déménagement et de ta nouvelle école... Si on collait des petites phrases optimistes, un peu partout dans la maison, ça t'aiderait à t'habituer, tu ne crois pas ? »

J'ai eu envie de dire : « Écoute, Papa, ton idée est franchement débile. Tu crois que quelques Post-it avec des trucs bidons écrits dessus vont suffire à résoudre mes problèmes au collège ? Au fait, tu sais quoi ? J'ai lu l'autre jour un article qui prétendait que les produits de désinsectisation détruisaient les cellules du cerveau ? Eh bien, j'ai l'impression que c'est vrai ! »

Mais j'ai gardé tout ça pour moi.

Mes parents ont continué à me fixer et j'ai commencé à stresser. Enfin, après ce qui m'a paru une éternité, ma mère a souri et a dit : « Chérie, souviens-toi que nous t'aimons ! Et si tu as besoin de nous, nous sommes là, au bout du couloir. »

Ils sont retournés dans leur chambre et je les ai entendus chuchoter pendant quelques minutes. Ils se demandaient sans doute s'il fallait m'interner immédiatement ou si ça pouvait attendre le lendemain matin.

Comme il était très tard, j'ai décidé que je finirais mon commentaire sur Puck pendant l'étude.

Est-ce qu'on est obligé de rendre ses devoirs quand on est admis dans une unité de SOINS PSYCHIATRIQUES ?

Dans mon nouveau numéro de *Top Girl's Magazine*,
on dit que la recette du bonheur se résume en 4 mots :

amis, amour, fête & fringues

Mais malheureusement, je n'ai fait qu'effleurer
ce bonheur, en décrochant le casier voisin de celui
de Hollister MacKenzie.

Elle est la star absolue de tous les quatrièmes.

Quelle chance ! ☹

Je venais juste de me frayer un chemin jusqu'aux vestiaires,
dans un couloir bondé, et j'avais failli être piétinée vivante.

Puis, soudain, comme par magie, la foule des élèves
s'est fendue en deux par le milieu, exactement
comme la mer Rouge.

C'est là que j'ai vu MacKenzie descendre le couloir comme s'il s'agissait du podium de la *fashion week.*

Elle avait les cheveux blonds et les yeux bleus et était habillée comme si elle sortait d'une séance photo pour la couverture de *Vogue Ado.*

Tous les élèves (sauf moi) sont immédiatement tombés sous son charme hypnotique et ont complètement perdu la tête.

« Ça va, Hollister ? »

« T'es au top, meuf ! »

« Tu viens faire la teuf chez moi, ce week-end ? »

« J'adore tes shoes, Hollister ! »

« Hollister, tu veux m'épouser ? »

« Tu devineras jamais qui est amoureux de toi, Hollister ! »

« Encore un nouveau sac à main tendance, Hollister ? »

« Super, tes cheveux, aujourd'hui ! »

« Hollister, si tu acceptes de t'asseoir à côté de moi
à la cantine, je m'arracherai un œil avec un crayon
et je le mangerai avec de la moutarde ! »

Ce qui prouve encore une fois que ma théorie est juste :
dans chaque collège américain, il y a toujours au moins
un élève hyper space, voire complètement ouf !

En les entendant répéter son nom, tandis qu'elle ouvrait
le cadenas de son casier, juste à côté du mien, j'ai su
que j'allais passer une très mauvaise année scolaire.

28

Approcher d'aussi près une beauté si parfaite
qu'elle en devient presque inquiétante m'a donné l'impression
d'avoir la MÉGA LOOSE. Et le fait qu'elle avait SQUATTÉ
toute la place n'a rien arrangé ! ☹

Ne croyez pas que j'étais jalouse. Pas du tout !
Ce serait super puéril, NON ?

Entre les cours, MacKenzie et ses amies restent scotchées devant mon casier et passent leur temps à ricaner, raconter des ragots, et se maquiller. Et quand je me permets de dire « Excusez-moi, il faut vraiment que j'ouvre mon casier », elles m'ignorent ou me répondent en levant les yeux au ciel, genre « Et puis quoi, encore ? » ou « C'est quoi, son problème ? ».

Alors je leur réponds :

« LE PROBLÈME, C'EST VOUS, LES MEUFS ! »

Enfin... je leur réponds dans ma tête, et je suis la seule à l'entendre.

En tout cas, je ne suis pas très à l'aise et j'ai honte d'avouer qu'une petite part de moi – la plus sombre et la plus intime – adorerait être la meilleure copine de Hollister MacKenzie !

Et cette part-là me dégoûte. À tel point que ça me donne envie de... vomir !

Pour passer à quelque chose de plus joyeux, je suis à fond branchée gloss, moi aussi. Mon préféré du moment, c'est le MagicKiss SuperShine à la fraise.

C'est délicieux – exactement le même goût que le cheesecake à la fraise.

Malheureusement, aucun super beau gosse (comme Brandon Roberts, qui est assis juste devant moi en SVT) n'est tombé follement amoureux de moi et de mes lèvres brillantes, comme dans les pubs pour MagicKiss que je regarde à la télé.

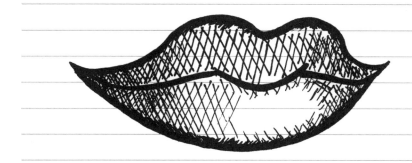

Mais ça finira bien par arriver, non ?

En attendant, j'ai décidé de profiter de mon statut
de célibataire.

Oh! j'oubliais : Papa est censé venir me chercher
après le collège pour m'emmener chez le dentiste.

Pourvu qu'il n'arrive pas avec sa camionnette de travail,
celle avec l'énorme cafard posé dessus!

Je mourrais si quelqu'un découvrait que c'est grâce
à un contrat de désinsectisation que j'ai pu m'inscrire
dans cette école!

JEUDI 5 SEPTEMBRE

Hollister MacKenzie et ses copines trop snobs commencent
à m'agacer sérieusement. Elles font toujours des commentaires
désagréables sur chaque fille qui passe à moins de
trois mètres d'elles. Pour qui elles se prennent, à la fin ?

LA POLICE DE LA MODE ?!

« SALUT, POUPÉE !
JE T'ARRÊTE
POUR CRIME
CONTRE
LA MODE ! »

Aujourd'hui, en l'espace d'une minute, MacKenzie a balancé
en étalant son gloss :

« T'as pas besoin d'un PERMIS pour être moche
à ce point-là ? »

« Tes fringues sont TOP, mais PAS sur toi ! »

« C'est ouf ! J'ai acheté exactement le même imper
pour mon chien ! »

« C'est quoi, cette odeur ? T'as confondu ton parfum
et ta crème pour le corps, toi ! »

« Elle a tellement d'acné qu'elle est obligée d'utiliser
une marque de maquillage spéciale : Akoibon. »

« C'est bizarre, sa nouvelle coiffure ! On dirait qu'un petit
mammifère a fait son nid sur sa tête, s'y est reproduit
et y est mort ! »

« Elle se croit trop belle. C'est parce qu'elle a pas encore
demandé l'avis des autres. »

Dire que MacKenzie est méchante serait très en dessous
de la vérité. En fait, elle est VICIEUSE. Un vrai PITBULL avec
du fard à paupières paillettes et des mules Jimmy Choo !

Je crois que j'ai fini par comprendre pourquoi ce collège ne me convient pas. Il me faut une nouvelle garde-robe, composée exclusivement de fringues de créateurs, comme celles qu'on trouve dans les boutiques du centre-ville.

Vous savez, le genre d'endroits où les vendeuses sont habillées comme Hannah Montana et ont des piercings au nombril, des mèches blondes et des sourires hypocrites.

Mais ce qui me rend dingue, c'est la sale habitude qu'ont ces vendeuses d'écarter inopinément le rideau de la cabine d'essayage pour y passer la tête, alors que tu es à moitié nue. Moi, ça suffit pour me donner envie de leur arracher leurs mèches blondes.

Quand tu te regardes dans la glace, tu comprends tout de suite que le vêtement te va comme une chaussette à un boa. Mais elles te font de grands sourires, se montrent très aimables et te mentent carrément en affirmant que

CE VÊTEMENT :

1) te va à merveille ;

2) rehausse l'éclat naturel de ton teint ;

3) est en parfaite harmonie avec la couleur de tes yeux.

Elles n'hésitent jamais à t'en persuader, même quand
tu essayes l'une de ces robes vert gazon qui ressemblent
à des SACS-POUBELLE GÉANTS !

« MA CHÉRIE,
ÇA TE VA
TROOOOP
BIEN ! »

MOI VÊTUE
D'UN SAC-
POUBELLE

Je DÉTESTE aussi les vêtements « SNOBS ET CHICS », le genre
de fringues qui, même portées par deux filles au physique
identique, leur font un look COMPLÈTEMENT différent.

Plus la fille est cool, plus elle a d'amis, plus elle a l'air classe ;
à l'inverse, moins elle est cool, moins elle a d'amis, moins
elle a d'allure. Ne me demandez pas comment un vêtement
snob et chic peut savoir toutes ces choses personnelles
sur les gens, mais manifestement, il sait !

POURQUOI JE DÉTESTE LA MODE SNOB ET CHIC!

Ce phénomène est un véritable casse-tête. J'espère que le gouvernement va débloquer des fonds pour que des scientifiques se penchent sur le sujet, ainsi que sur le mystère des chaussettes orphelines. Mais en attendant, GARE AUX MAUVAIS ACHATS!

En tout cas, dès que ma mère m'aura acheté cette garde-robe complète de fringues de créateurs, j'irai voir MacKenzie et sa bande pour leur dire ce que je pense d'elles.

Mais avant d'ouvrir la bouche, je me mettrai les mains sur les hanches et je ferai tourner lentement ma tête comme Tyra Banks, l'animatrice de télé, juste pour leur montrer que moi aussi, je peux me la péter, si je veux.

Dans ses émissions, Tyra dit toujours que chaque fille doit trouver sa propre beauté intérieure et ignorer ses ENNEMIS. Elle est super cool, et elle nous donne un super-exemple!

Pourtant, je dois avouer qu'elle ne m'a pas fait beaucoup d'effet quand je l'ai vue dans *Qui sera le prochain top model?* Surtout quand elle a traité l'une de ces malheureuses candidates de gros boudin en lui disant qu'elle ne réussirait jamais aussi bien qu'elle dans ce milieu et qu'elle n'avait aucune idée de combien elle-même avait souffert pour en arriver là! Elle a même ajouté : «Arrête de faire cette tronche ou je te colle une baffe, espèce de *****!»

Ensuite, elle s'est mise à crier comme une hystérique et à avaler plein de Tic Tac.

J'ADORE cette meuf !

J'ai décidé que – le dernier jour d'école, par exemple –, j'irais dire en face à MacKenzie que ce n'est pas parce qu'elle et ses clones sont fringuées comme des

FASHIONISTAS

qu'elles peuvent se permettre de dire des horreurs sur les autres.

Les « autres », c'est-à-dire les filles dont les mères vont faire les courses chez Jennyfer, H&M, ou au supermarché du coin.

Des filles... comme moi !

Ce n'est un secret pour personne : dans ces magasins-là, les fringues ne sont pas aussi belles que dans les boutiques du centre-ville.

Et en effet, c'est un handicap énorme (et encore, je suis polie!) que d'avoir à traverser le rayon «VIEILLES dames», puis le rayon «GROSSES dames» pour arriver au rayon «ADOS».

Pas étonnant que ces filles préfèrent les boutiques branchées!

À LA RECHERCHE DU RAYON ADOS

RAYON VIEILLES DAMES

ADOS

RAYON GROSSES DAMES

ADOS

↑
J'ADORE
LE SHOPPING!

RAYON FUTURES MAMANS

ADOS

↑
CONTINUE
D'AVANCER!

↗
DE L'EAU!
DE L'EAU!

Ma mère prétend que l'important n'est pas de savoir d'où viennent les vêtements qu'on porte, mais qu'ils soient propres. C'est vrai, non ?

PAS DU TOUT !

Je serais riche si j'avais gagné un dollar à chaque fois que j'ai entendu MacKenzie dire : « OMG ! C'EST QUOI, ces filles NAZES qui achètent des fringues ATROCES ? Moi, je préférerais venir à l'école les fesses à l'air plutôt que de m'habiller dans un magasin où l'on vend aussi des TONDEUSES ! »

Pour être franche, je ne crois pas qu'on vende des tondeuses dans les magasins où j'achète mes vêtements. Et puis, même si c'était le cas, C'EST QUOI, SON PROBLÈME, à celle-là ?

Au moins, les fringues ne sentent pas la tondeuse à gazon, ou alors je ne l'ai pas remarqué.

La prochaine fois que je vais faire du shopping, je les reniflerai bien avant de les acheter...

Je mettrai aussi un grand chapeau, une perruque, des lunettes de soleil et des fausses moustaches pour que personne ne me reconnaisse.

BON, BREF!!!

SAMEDI 7 SEPTEMBRE

Mes parents me rendent FOLLE! Durant les trois derniers jours, ils ont collé partout dans la maison 139 Post-it colorés avec des formules débiles du genre :

> « Sois sympa avec toi-même :
> invite-toi à dormir à la maison! »

Malheureusement, je n'ai pas pu lire celui qu'ils ont glissé dans le grille-pain, parce qu'il a pris feu lorsque j'y ai mis une tartine pour mon petit déjeuner.

Pour l'éteindre, j'ai été obligée de verser mon verre
de jus d'orange dessus.

Après ça, le grille-pain a commencé à fondre, à envoyer
des étincelles bleues et à faire un méchant bruit du genre :

GRRRRRRRRRAAAAAAGGGGG!!!

Je pense qu'on va devoir en acheter un autre.

Mais ce qui m'a vraiment fait flipper, c'est de penser
que notre maison aurait pu brûler complètement. Tout ça
à cause d'un bout de papier collant glissé dans le grille-pain !

Je sais que mes parents croient bien faire, mais parfois
ils sont vraiment

GRAVES !

DIMANCHE 8 SEPTEMBRE

Le week-end est déjà presque fini et je n'ai pas envie
de retourner au collège demain. Au bout d'une semaine,
je ne me suis pas fait une seule amie. Je me sens envahie
par un sentiment de solitude tapi au fond de mon ventre
comme... comme un énorme et venimeux crapaud !

Je pense sérieusement à demander à mes parents
de me laisser retourner vivre dans mon ancienne ville,
chez ma grand-mère, pour que je puisse retrouver
mon collège adoré.

Il n'était pas parfait, c'est vrai. Mais je donnerais n'importe quoi pour revoir mes copines du cours d'arts plastiques. Elles me manquent vraiment, vraiment beaucoup!

Et puis ma grand-mère habite dans un de ces appartements « conçus pour les seniors jeunes d'esprit qui veulent vivre une retraite active ». Et elle est au courant de toutes les nouvelles tendances et tout ça...

Elle est aussi un peu folle (plutôt TRÈS FOLLE) et complètement accro au jeu télévisé *Le Juste Prix*.

En ce moment, elle passe le plus clair de son temps devant son ordi, sur les sites d'achat en ligne. Pour s'entraîner, elle apprend par cœur les prix des principales enseignes de supermarchés!

Elle a l'intention de réunir toutes ces infos et ces stratégies de jeu dans un ouvrage intitulé *Le Juste Prix pour les NULS*.

Grand-Mère prétend que le livre se vendrait aussi bien que _Harry Potter._

MA GRAND-MÈRE

Je ne pensais pas qu'il fallait être spécialement douée pour participer à un jeu télévisé, mais elle affirme qu'il faut s'entraîner, comme un joueur de foot pour la Coupe du monde.

Elle a pris quelques gorgées de sa boisson énergisante, m'a jeté un regard très sérieux et a murmuré : « Ma chérie, quand la vie te lance un défi, tu peux te comporter comme une poule mouillée ou comme une championne. À toi de choisir ! »

Puis elle a commencé à chanter très fort « Girls just want to have fun », un vieux tube pop des années 80.

Alors je me suis dit : « SUPER ! Grand-Mère est en train
de devenir SÉNILE ! Elle ne comprend donc pas qu'il y a
des choses qu'on ne peut pas changer dans la vie ? »
C'est fou, quand même !

Pourtant, je dois reconnaître qu'elle se débrouille très bien
au *Juste Prix*. Les dernières fois que je l'ai vue jouer,
elle a eu bon à tous les coups ! C'était incroyable !
Si elle avait vraiment participé, elle aurait gagné
549 321 dollars en liquide. Plus des cadeaux, dont trois voitures,
un bateau, un voyage pour deux aux chutes du Niagara
et la livraison à vie de protections anatomiques *Confiance*,
les couches pour adultes.

Je l'ai embrassée bien fort et je lui ai dit : « Grand-Mère,
tu es super forte au *Juste Prix*, et je suis très fière de toi.
Mais tu devrais essayer de sortir plus souvent. »

Elle a souri et m'a dit que sa vie avait changé depuis
qu'elle prenait des leçons de danse hip-hop au centre
de loisirs des seniors. Et elle adore Krump Daddy, son prof,
qu'elle trouve vraiment trop « hype » !

Ensuite, elle m'a demandé si je voulais la voir « faire un move ».

Pas mal, pour une dame de soixante-seize ans !

Grand-Mère est un peu FOLLE, mais vous allez l'ADORER !

LUNDI 9 SEPTEMBRE

Ce matin, le hall était couvert d'affiches annonçant
« Avant-garde », l'exposition d'art qui a lieu tous les ans
dans le collège.

Je suis SUPER excitée, car c'est aussi un concours
et le premier prix pour chaque niveau de classe est de 500 $
en liquide! PAS MAL, NON?

Ça me suffirait pour acheter un portable, de nouvelles
fringues branchées ET des fournitures de dessin.

Mais – plus important encore – cette victoire me ferait
passer du jour au lendemain du statut d'« ARTISTE RATÉE
à problèmes » à celui de « DIVA ABSOLUE » !

Qui aurait cru que mes dons artistiques pourraient
m'ouvrir les portes du CCC?

Quand je me suis précipitée au bureau pour retirer
un formulaire de candidature, il y avait déjà une file d'attente
longue comme ça.

Et devine qui j'ai vu, parmi les premières ?

MACKENZIE !!! ☹

Comme d'habitude, elle n'arrêtait pas de parler : « Comme je vais devenir mannequin/créatrice de mode/pop star, je me suis fait un book de sept dessins de mode trop beaux, spécialement créés pour ma ligne de vêtements, *Toujours au top*, et que j'ai l'intention de porter à l'occasion du lancement de la tournée mondiale de Miley Cyrus – qui va bien sûr tomber raide dingue love de mes créations et en acheter pour 1 million de dollars. Ensuite, j'intégrerai une prestigieuse université comme Harvard, Yale ou l'Institut de cosmétologie de Westchester, qui, soit dit en passant, appartient à ma tante Clarissa ! »

C'est vrai, je l'admets : je STRESSE d'avoir MacKenzie comme concurrente.

Avec ses yeux bleu glacier, elle n'a pas arrêté de me regarder, et je sentais mon estomac se nouer et la trouille s'emparer de moi.

Puis, soudain, j'ai eu comme une révélation et j'ai enfin compris ce que ma grand-mère veut dire quand elle affirme :

« *Tu peux te comporter*
comme une POULE MOUILLÉE
ou comme une CHAMPIONNE.
À toi de choisir ! »

Alors j'ai rassemblé toutes mes forces et ma détermination, j'ai pris une profonde inspiration et trouvé le courage de choisir comment j'allais me comporter.

COMME UNE GROSSE POULE MOUILLÉE !

Quand l'organisatrice m'a demandé
si je venais m'inscrire au concours,
je me suis immobilisée et j'ai commencé
à caqueter comme une volaille :

Cot cot cot codeeeec !

MacKenzie a éclaté de rire,
comme si le fait que MOI, je décide
de participer à ce concours était
la chose la plus ridicule qu'elle ait jamais
entendue.

C'est à ce moment-là que j'ai aperçu le formulaire jaune,
celui qu'il faut remplir pour devenir assistant à la bibliothèque
scolaire, ou ABS. Tous les jours, pendant l'étude,
quelques élèves sont excusés pour aider à classer des livres
à la bibliothèque, ce qui est à peu près aussi excitant
que de regarder sécher de la gouache.

Ainsi, au lieu d'essayer de réaliser mon rêve, à savoir gagner
un important concours artistique, je me suis portée volontaire,
comme une IDIOTE, pour ranger des bouquins ENNUYEUX
et pleins de POUSSIÈRE!

MA PAUVRE FUTURE VIE D'ASSISTANTE
À LA BIBLIOTHÈQUE SCOLAIRE

«ENCORE UN LIVRE ET JE VAIS VOMIR!»

53

Tout ça, c'est la faute de MacKenzie! ☹

Quand je suis allée à la bibliothèque pendant l'étude, Mme Peach, la bibliothécaire, m'a tout expliqué. Elle m'a dit que j'allais travailler avec deux autres filles qui s'étaient inscrites la semaine précédente.

Je me suis demandé quel élève en possession de tous ses moyens serait assez stupide pour s'inscrire à une ACTIVITÉ PUREMENT BÉNÉVOLE, qui ne rapporte rien, même pas une bonne note?

Moi, au moins, j'avais une bonne excuse.

Le regard glacial de MacKenzie m'avait paralysée. C'était comme s'il avait gelé mes neurones, ralenti mon rythme cardiaque et totalement immobilisé mon corps, m'empêchant de participer à ce concours d'art.

Aujourd'hui, en français, il m'est arrivé quelque chose de terrible. Au moment où je sortais mon cahier de mon sac à dos, mon flacon de LOVE ADDICT est tombé par terre.

Malheureusement, le petit capuchon blanc du vaporisateur s'est bloqué et le parfum a commencé à se volatiliser, jusqu'à ce que le flacon soit complètement vide.

Mon professeur, M. Machin-Truc (je n'arrive pas à prononcer son nom qui ressemble à un éternuement), a commencé à crier un truc en français qui ressemblait beaucoup à des gros mots.

Ensuite, il a fait évacuer la salle. Tout le monde toussait, s'étouffait, avait les yeux qui coulaient...

Et tandis que nous attendions, debout dans le couloir, que l'odeur se dissipe, il m'a demandé très sèchement en anglais (une langue que je comprends) si j'avais eu envie de le tuer.

N'importe quoi! C'est vrai, je n'aime pas trop le français, mais ce n'était qu'un accident!

Je veux dire, ce n'est PAS comme si mon parfum pouvait VRAIMENT le tuer. Du moins, je ne le crois pas.

Mais bon, qu'est-ce que ça peut bien faire, après tout, que mon prof de français s'effondre dans la salle des profs pendant qu'il est en train d'avaler son déjeuner, et qu'il succombe à une asphyxie au LOVE ADDICT?

← FUMÉE PUANTE

Et si, pendant trois jours, personne ne remarquait l'odeur
nauséabonde qui s'échappe de son cadavre, car elle ressemble
à celle de la nourriture qu'on nous sert à la cantine?

La police lancerait une enquête, et je serais
le suspect numéro 1.

Les Experts-Miami feraient des prélèvements sur les poils
de nez de mon prof de français et découvriraient des traces
de LOVE ADDICT.

Ils me déclareraient coupable de tentative d'asphyxie
par administration d'une dose mortelle de parfum.

Ensuite, que se passerait-il si les enquêteurs réunissaient
en SECRET des preuves accablantes contre MOI?

Je finirais sur la CHAISE ÉLECTRIQUE pendant
ma première année dans ce collège, ce qui serait vraiment
NUL!

Après, je serais très contrariée de ne pas avoir pu passer
mon permis de conduire et d'avoir manqué la fête
de fin d'année du lycée!

Vous devez me croire :
je suis totalement innocente!

Je n'ai rien à cacher.
Fouillez ma chambre!

Oh, mon Dieu! Un cadavre!
Que fait-il ici??!

Maintenant que j'y pense, M. Machin-Truc, si ça se trouve,
adore Hollister MacKenzie parce qu'elle est bonne en français
et qu'elle sait prononcer son nom bizarre qui ressemble
à un éternuement.

Je parie que si c'était elle qui avait renversé son vapo de LOVE ADDICT dans la classe, il ne lui aurait pas crié dessus et ne l'aurait pas accusée de vouloir le tuer.

Tout ça parce que Hollister MacKenzie est

PARFAITE!!

Si parfaite que je parie qu'elle va remporter le concours d'art!

Et ensuite, par pur dépit, elle empruntera disons... 189 livres à la bibliothèque, qu'elle parcourra et rendra dans la journée. Bien sûr, c'est moi qui serai obligée de les ranger un par un dans les rayonnages, puisque j'ai été assez bête pour me proposer comme ABS!

Ma pauvre vie est tellement injuste que ça me donne envie de

CRIER! ☹

MERCREDI 11 SEPTEMBRE

Aujourd'hui, à la cafétéria, tout le monde était à fond parce que MacKenzie distribuait des invitations pour sa superfête d'anniversaire. À voir Lisa Wang et Sarah Grossman s'enlacer et pleurer de joie, on aurait cru qu'elles venaient d'être sélectionnées pour participer à *Secret Story* ou une émission de ce genre. C'était trop RÉPUGNANT!

Les copines HYPOCRITES de MacKenzie versant des larmes de crocodile et se faisant des sourires HYPOCRITES en s'embrassant comme des HYPOCRITES.

LISA WANG

SARAH GROSSMAN

On aurait dit les jumelles Olsen. En vérité, je n'ai jamais compris pourquoi ces deux sœurs n'arrêtent pas de s'embrasser. Elles ne sont pas siamoises, et pourtant, on pourrait croire qu'elles sont réunies par la hanche.

Les invités de la fête n'ont pas lâché les baskets de
MacKenzie de toute la journée. Sauf **Brandon Roberts.**

Quand elle lui a tendu son invitation, elle a essayé
de le draguer en enroulant une mèche de cheveux autour
de son doigt et en lui offrant son plus beau sourire.
Elle a même fait tomber son sac « par accident »
afin qu'il le ramasse, exactement comme dans les films.

Mais Brandon s'est contenté de regarder l'invitation
et de la glisser dans son sac à dos, avant de s'éloigner
tranquillement.

Comment elle était vénère qu'il la traite comme ça !

Ensuite, une bande de garçons sont passés en courant
et ont piétiné son sac Vera Bradley à 300 $. Personnellement,
je préfère les traces de pieds sales aux motifs floraux,
d'un ennui mortel.

Brandon est trop COOOOOOOL !!!

À première vue, je dirais qu'il est du genre « rebelle calme ».

Il écrit des articles et prend des photos pour le journal
du collège. Il a déjà gagné quelques prix pour ses reportages.

Une fois, il s'est assis à ma table à la cantine, mais
je ne crois pas qu'il m'ait remarquée.

Sans doute parce que sa grande mèche de cheveux bouclés
n'arrête pas de lui tomber sur les yeux.

Aujourd'hui, en SVT, quand il m'a demandé s'il pouvait prendre
une photo de MOI en train de disséquer ma grenouille,
j'ai failli MOURIR !

Je tremblais tellement que j'avais du mal à tenir
le scalpel.

Et maintenant, j'ai du mal à chasser de mon esprit
le moindre détail de son visage parfait.

ET SI J'ÉTAIS EN TRAIN DE TOMBER AMOUREUSE POUR LA PREMIÈRE FOIS ?!

BIOLOGIE DE MON CHAGRIN D'AMOUR
par Nikki Maxwell

Je te vois en rêve

Tu portes ta chemise préférée,

Celle avec le bouton ouvert,

Et tu es assis en face de moi

À la cafétéria.

Jamais je n'ai vu quelqu'un

manger des frites

Avec autant d'élégance.

Je te revois en cours de biologie,

En train de prendre des photos

Pour le journal du collège.

Tu t'es approché de moi

Et tu m'as murmuré tout bas :

« Pousse la grenouille un peu vers toi. »

Toi seul as assez de talent

Pour rendre aussi vivant

Le cliché d'un animal mort.

Mon cœur saigne à l'idée

Que jamais tu ne me connaîtras,

Pourtant je rêve de passer mes doigts

Dans tes cheveux bouclés couleur chocolat.

Mais je n'oublierai jamais

L'odeur putride du formol

Ni le regard vitreux du batracien mort,

Témoin de NOTRE RENCONTRE.

JEUDI 12 SEPTEMBRE

En cours de sport, même les filles-qui-ont-peur-des-balles ont parlé de la fête de MacKenzie. Comme si elles avaient une chance d'être invitées !

Ces filles sont des flipettes, qui évoluent toujours en petits groupes et qui poussent des cris hystériques dès qu'une balle s'approche d'elles. Balle de basket, de foot, de base-ball, de tennis, de volley, de ping-pong ou même de foin, elles ne cherchent même pas à savoir...

LES FILLES-QUI-ONT-PEUR-DES-BALLES JOUENT
AU VOLLEY-BALL.

CHLOË ET ZOEY

CHLOË ET ZOEY EN STRESS TOTAL

L'équipe rouge GAGNE avec un point d'avance. Bravo : un A+ pour vous ! Vous, les PERDANTS, sous la douche. Avec un C !

Prof → de gym

Notre équipe a perdu ! ☹

Eh oui ! On peut toujours compter sur les filles-qui-ont-peur-des-balles pour tout faire rater et perdre les matchs.

C'est vraiment la loose d'avoir des filles comme Chloë et Zoey dans son équipe. Surtout si l'on DÉTESTE prendre sa douche après le cours de sport (rien que l'idée de me doucher à l'école me donne envie de vomir).

Ce sera entièrement leur faute si j'attrape une maladie incurable à cause des moisissures qui poussent dans ces horribles cabines de douche.

POURQUOI JE DÉTESTE ME DOUCHER APRÈS LE COURS DE GYM !

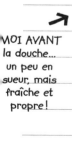

MOI AVANT la douche... un peu en sueur, mais fraîche et propre !

MOI APRÈS la douche... couverte de la tête aux pieds d'un liquide visqueux, puant et moisi !

J'ai été vraiment surprise que Chloë et Zoey viennent me parler après la gym. Bien sûr, j'ai fait semblant de ne pas leur en vouloir d'avoir fui la balle et de croire que ce n'était pas À CAUSE d'elles que j'avais été forcée de prendre une douche.

Apparemment, notre bibliothécaire, Mme Peach, leur a raconté que nous allions travailler ensemble à la bibliothèque et elles avaient hâte de commencer.

Je me demande ce que le fait de ranger des livres dans des rayonnages peut bien avoir d'EXCITANT?!

Mais j'ai joué le jeu et fait semblant d'être aussi ravie qu'elles.

Mais je me disais : « OMG! OMG! Je peux pas croire que je vais travailler avec elles! L'ENFER! »

On a fini par déjeuner ensemble à la table 9 et j'étais contente de ne pas manger toute seule, pour une fois.

Le nom complet de Chloë est Chloë Christina Garcia et ses parents dirigent une entreprise de logiciels informatiques. C'est top, parce qu'elle a lu presque tous les derniers romans parus.

Elle m'a dit qu'elle vivait « par procuration » les joies et
les peines des personnages et que ça lui apprenait beaucoup
de choses sur la vie, l'amour, les garçons et la manière
d'embrasser. Elle compte bien mettre tout ça à profit
l'année prochaine, quand elle irait au lycée.

Elle m'a dit qu'elle avait 983 livres et qu'elle en avait lu
la plupart deux fois.

J'ai juste dit : « WAOUH ! »

Le nom complet de Zoey est Zoeysha Ebony Franklin.
Sa mère est avocate et son père travaille chez un producteur
de musique. Elle a déjà rencontré presque toutes les plus
grandes stars.

Zoey m'a raconté qu'elle aimait lire des ouvrages
de développement personnel et qu'elle cherchait en ce moment
à « optimiser » sa relation avec les trois « figures » maternelles
présentes dans sa vie : sa mère, sa grand-mère, qui l'a
en partie élevée, et une belle-mère.

Je la comprends très bien, car je sais par expérience combien
le fait de n'avoir qu'une seule « figure maternelle » peut être

traumatisant et causer des dommages psychologiques.
Alors, imagine quand on en a TROIS! OMG!

Ensuite, Zoey m'a demandé : « Comment tu peux supporter
d'avoir ton casier à côté de celui de MacKenzie? Elle est
tellement DÉBILE que son bâton de rouge à lèvres lui sert
de stylo! Tu sais, être aussi bête peut entraîner un grave
manque d'estime de soi! »

Je n'en revenais PAS d'entendre Zoey dire ça. Moi qui croyais
que tout le monde au collège vénérait MacKenzie.

Nous avons ri si fort que des petits bouts de carotte
me sont ressortis par le nez!

70

Toutes les trois, on a ricané comme des oufs. Hihihihihihihi!

Puis Chloë a lancé : « Eh, des crottes de nez à la carotte!
Si on allait les donner à MacKenzie, pour sa salade de tofu?
Ça lui ferait une garniture très diététique, non? Dans la série
La Clique, ils se font toujours des blagues dégueu comme ça. »

Nous avons ri si fort à l'idée de Chloë que les élèves
des tables voisines ont commencé à nous regarder.

MacKenzie elle-même a jeté un œil dans notre direction.
Mais elle a très vite détourné le regard, pour qu'on ne
s'imagine pas à tort qu'elle avait remarqué notre existence.
En tout cas, je suis sûre qu'elle s'est demandé
ce qu'on racontait.

Maintenant, j'ai pardonné à Chloë et Zoey pour cette histoire
de douche après le sport. Aujourd'hui, je me suis bien amusée,
en fin de compte!

☺

J'en ai trop marre d'entendre parler de MacKenzie et de sa ridicule petite boum! Mais comme je suis derrière elle en cours de géométrie, je savais que j'allais devoir la supporter. J'ai fait de mon mieux pour l'ignorer quand elle s'est retournée, m'a souri, et a fait un truc vraiment bizarre...

Elle m'a tendu un carton d'invitation rose vif entouré d'un ruban de satin blanc!

J'ai failli tomber de ma chaise.

Dans mon cerveau, ça faisait :

OMG! OMG! OMG!

C'était la plus belle chose que j'aie jamais vue,
à part peut-être le nouvel iPhone que je kiffe tant.

Qui aurait cru que je recevrais une invitation pour LA fête
la plus hype de l'année ?

Puis, soudain, j'ai pensé qu'il s'agissait peut-être d'une blague
– une très méchante BLAGUE.

J'ai cherché des yeux une caméra cachée, m'attendant
à voir Ashton Kutcher (à propos, j'arrive pas à croire
qu'il soit marié à une femme plus vieille que lui) surgir
d'un placard et s'écrier :

« SURPRISE SUR PRISE ! »

Puis je me suis rendu compte que presque toutes les filles de
ma classe fixaient sur moi leurs regards envieux et incrédules.

C'était vraiment space, parce que je me suis aperçue
que j'avais des bouloches sur mon sweat à capuche préféré.

Ça m'a fait revenir sur terre, et j'ai commencé à en enlever
quelques-unes.

Les copines de MacKenzie préféreraient mourir que de porter un sweat non griffé qui bouloche!

Alors je me suis promis de...

BRÛLER TOUTE MA GARDE-ROBE!!

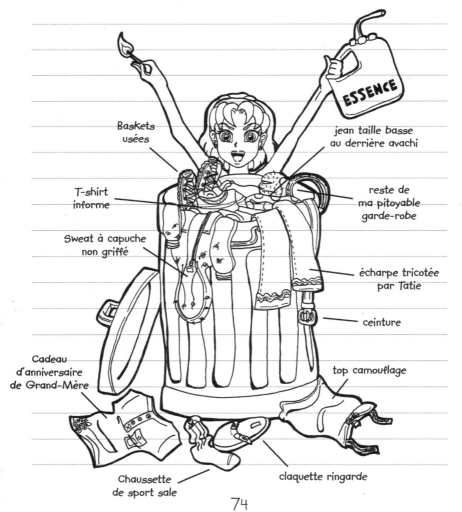

Baskets usées

jean taille basse au derrière avachi

T-shirt informe

reste de ma pitoyable garde-robe

Sweat à capuche non griffé

écharpe tricotée par Tatie

ceinture

Cadeau d'anniversaire de Grand-Mère

top camouflage

Chaussette de sport sale

claquette ringarde

MacKenzie n'arrêtait pas de me sourire, comme si j'étais sa MAV (Meilleure Amie pour la Vie).

« Eh, ma belle, je me demandais si... ??? »

J'étais tellement excitée que je me suis levée d'un bond sans la laisser finir sa phrase.

J'ai bafouillé : « AVEC PLAISIR, Hollister ! Merci d'avoir pensé à moi... ma belle. »

Eh oui, je l'ai appelée « ma belle », alors que j'ai toujours pensé que ça faisait super fayote.

J'avoue, j'étais FOLLE DE JOIE, comme Vanessa Anne Hudgens, quand elle a appris qu'elle n'était PAS VIRÉE de High School Musical 3 !

Mais, surtout, j'étais sous le CHOC. Je n'arrivais pas à croire que j'étais invitée à la fête de MacKenzie ! Bientôt, j'aurais des potes supercool et une vraie vie. Des sorties, un piercing au nombril, et un mec...

J'ai commencé à me dire que ce qu'on racontait dans *Top Girl's Magazine* était vrai. Et si la recette du bonheur se composait vraiment de ces quatre ingrédients : amis, amour, fête & fringues ?!

MOI, baignant dans les rayons du soleil, les arcs-en-ciel, les étoiles scintillantes et les nuages couleur barbapapa, serrant passionnément contre mon cœur mon carton d'invitation à la fête de MacKenzie !!

Mes mains tremblaient lorsque j'ai défait le ruban et ouvert l'enveloppe.

Soudain, j'ai vu MacKenzie froncer les sourcils et me jeter un regard de dégoût, comme si j'étais une crotte de pigeon tombée sur sa chaussure.

« Mais qu'est-ce que tu fais, t'es DÉBILE ou quoi ? » a-t-elle lancé.

76

J'ai bégayé : « Eh bien, je... j'ouvre mon invitation ? »

Soudain, j'ai eu un étrange pressentiment...

« Comme si j'allais t'inviter ! a ricané MacKenzie en secouant ses tresses blondes et en battant de ses longs cils d'un air dégoûté. C'est bien toi, la nouvelle qui n'arrête pas de rôder autour de mon casier pour m'espionner ? »

« Oui... enfin, je veux dire, non ! En fait, mon casier est juste à côté du tien. »

« Tu es sûre ? » a-t-elle insisté, en me toisant comme si j'étais en train de lui mentir.
J'y croyais pas : elle faisait semblant de ne pas me connaître !
Ça fait une éternité que j'occupe le casier voisin du sien !

« Oui, certaine ! » ai-je répondu.

Alors, MacKenzie a sorti son MagicKiss Super Shine et s'en est appliqué trois couches super épaisses. Après s'être admirée pendant deux minutes dans son petit miroir de poche (elle se kiffe vraiment trop), elle l'a refermé et m'a regardée bien en face.

« Avant que tu m'interrompes GROSSIÈREMENT,
je te demandais simplement de passer mon invitation
à JESSICA ! Comment pouvais-je deviner que tu allais
déchirer l'enveloppe comme une SAUVAGE ? »

Soudain, tous les regards de la classe se sont fixés sur moi.

Je n'en croyais PAS mes oreilles ! Cette fille avait osé
me traiter de SAUVAGE !

Alors j'ai dit d'un air super cool, super détaché, en retenant mes larmes : « OK. DÉSOLÉE. Au fait, qui est Jessica ? »

Et j'ai senti qu'on me tapait sur l'épaule.

Je me suis retournée pour me retrouver nez à nez avec la fille du bureau derrière le mien.

Elle avait de longs cheveux blonds et portait un gloss rose brillant, un pull rose, une minijupe rose et un bandeau brodé de faux diamants roses.

Si je l'avais vue chez Toys « R » Us, je l'aurais sûrement prise pour la nouvelle poupée à la mode :

JESSICA
SUPER VÉNÈRE

« C'est moi Jessica ! a-t-elle dit en levant les yeux au ciel.
J'arrive pas à croire que tu as ouvert MON invitation ! »

J'essayais désespérément de refaire le nœud du ruban
de satin lorsqu'elle m'a arraché le carton des mains,
si violemment que j'ai failli me couper.

Je me sentais TROP LAMENTABLE ! Et, pour ne rien
arranger, quelques filles ont commencé à glousser
derrière mon dos.

C'était LE moment le plus GÊNANT de toute
ma TRISTE vie !!!

Et je savais très bien que bientôt – ce n'était qu'une question
de minutes – tout le collège serait informé par texto !

Heureusement, Mme Sprague, notre prof de maths,
a commencé la leçon.

Elle a passé toute l'heure au tableau, à nous faire réviser
le calcul du volume du cylindre, de la sphère, et du cône
– pour préparer notre prochaine interro.

COMMENT CALCULER LES VOLUMES

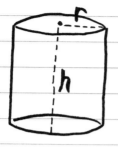

LE VOLUME D'UN CYLINDRE ÉQUIVAUT
À LA SURFACE DE SA BASE MULTIPLIÉE
PAR SA HAUTEUR = $\pi r^2 h$

VOLUME DE LA SPHÈRE = $4/3\ \pi r^3$

LE VOLUME D'UN CÔNE EST
ÉGAL AU TIERS DE LA SURFACE
DE SA BASE MULTIPLIÉ PAR
SA HAUTEUR = $1/3\ \pi r^2 h$

J'étais trop bouleversée pour me concentrer sur des formules
et je n'ai rien écouté. J'ai passé tout le cours à fixer la nuque
de Mackenzie, avec une seule envie : disparaître.

Je devais être vraiment très mal, parce qu'une larme a coulé
le long de ma joue, avant de s'écraser sur mon cahier
de géométrie.

J'ai pu l'essuyer du revers de mon sweat tout-bouloché-qui-ne-vient-pas-d'une-boutique-branchée avant que quelqu'un l'ait vue.

Tout ce DRAME autour de l'invitation m'avait bien énervée, mais malgré tout je n'étais pas très fâchée contre MacKenzie.

JE SUIS VRAIMENT UNE NOUILLE! Si je faisais une fête, je ne m'inviterais pas non plus!

C'est la fête!!

Et tu n'es pas invitée!

SAMEDI 14 SEPTEMBRE

Je viens de passer la PIRE semaine de ma vie !
POURQUOI ?

Parce que MacKenzie m'a POURRI la vie :

1. Elle a RUINÉ mes chances de remporter
le concours d'art.

2. Elle m'a VÉNÈRE en ne m'invitant PAS à sa fête.

3. Elle m'a RIDICULISÉE en me traitant de sauvage.

4. Elle m'a HUMILIÉE PUBLIQUEMENT en me donnant
une invitation avant de me la reprendre.

5. Elle a essayé de me PIQUER l'amour de ma vie,
Brandon Roberts, en enroulant ses cheveux autour
de son doigt pour le draguer.

J'ai l'intention de PASSER le week-end en pyjama,
assise sur mon lit, à FIXER le mur en BOUDANT.

Une décision qui, bizarrement, me fait me sentir beaucoup mieux.

Moi en train de bouder!

Mais mes plans sont tombés à l'eau!

Vers midi, ma mère est entrée dans ma chambre, toute contente, et m'a annoncé qu'on allait déjeuner en famille autour d'un barbecue.

« Chérie, habille-toi vite et viens nous rejoindre dans le jardin, on va bien s'amuser ! »

Je n'étais visiblement pas d'humeur à m'amuser. Je voulais juste qu'on me laisse tranquille.

En plus, je n'aime pas manger dans le jardin,
parce qu'il y a de très grosses araignées – j'en ai déjà vu.

Je déteste les araignées – j'en ai hyper peur.

En plus, mon médecin m'a dit que je suis très allergique
aux nuisibles qui se nourrissent de sang humain
comme les araignées,
les moustiques,
les sangsues et
les vampires.

Bref, je n'ai
aucune
confiance
en toutes
ces bestioles !

Dehors, j'ai vu
mon père habillé
en cuisinier de la tête
aux pieds, avec le tablier et la toque de chef que nous lui avons
offerts pour la fête des Pères.

Le tablier porte l'inscription « Mon papa est le meilleur cuisinier du monde ! », mais comme plein de lettres se sont effacées en passant à la machine, on ne comprend plus rien...

Je me souviens du jour où nous sommes allées acheter ce cadeau. Maman nous avait emmenées au centre commercial, Brianna et moi, et nous avait donné 30 dollars pour acheter quelque chose de joli pour Papa.

Mais comme Brianna a dépensé 9,99 $ pour une poupée tatouée et moi 14 $ pour le dernier CD de Miley Cyrus, il ne nous restait plus que 6 $ et 1 cent pour le cadeau de Papa, ce qui n'était pas beaucoup.

Heureusement, j'ai repéré dans le bac des promos cette horrible toque rose de cuisinier avec le tablier assorti pour seulement 3,87 $!

On avait le choix entre « Embrassez le cuisinier ! », « Quand Maman fait la tête, tout le monde fait la tête ! » « Vive les DETROIT PISTONS ! » ou « Mon papa est le meilleur cuisinier du monde ! » en lettres orange fluo.

Comme c'était trop pas cher, il nous restait encore 2,14 $
pour acheter une carte de fête des Pères.

J'ai réussi à convaincre Brianna que Papa préférerait
largement une carte qu'on aurait dessinée nous-mêmes
et qu'elle pourrait fabriquer gratuitement avec du papier,
des crayons et des paillettes.

Elle était complètement d'accord, alors j'ai dépensé
les quelques dollars qui restaient pour m'acheter
des pop-corn et un grand smoothie mangue-fraise.
Pour de la nourriture de supermarché, c'était superbon
– mais il faut dire que je mourais de faim !

Qui aurait cru que Papa aimerait à ce point
son affreux cadeau !

« C'est le PLUS beau cadeau de fête des Pères que j'ai reçu
de toute ma vie ! » a-t-il murmuré, les larmes aux yeux.

Ce qui n'est PAS peu dire, car tous les ans, Brianna et moi,
on se défonce pour lui trouver un cadeau de fête des Pères
de super mauvais goût.

Mais on se débrouille toujours pour nous gâter nous-mêmes.
La fête des Pères est notre fête préférée,
après notre anniversaire et Noël.

Donc, mon père faisait griller des steaks en sifflant
de vieux tubes disco...

Quand soudain, il a dû faire face à une complication majeure...

Un problème d'insecte, pourrait-on dire.

Alors quand il m'a demandé de courir
chercher la bombe d'insecticide,
j'ai commencé à avoir un mauvais feeling.

«Tu es sûr, Papa?» j'ai demandé.

«Oui! Je n'ai pas l'intention de partager
mes steaks à 20$ avec ces sales
bestioles!»

NOTRE BARBECUE EN FAMILLE

(Histoire sans paroles)

FIN

On pourrait croire qu'il est facile, quand on a l'habitude,
de distinguer une mouche d'un autre insecte.

Malheureusement pour Papa, c'est à un ESSAIM
DE FRELONS EN COLÈRE qu'il a eu affaire !

Bref, notre barbecue familial a tourné à la catastrophe
absolue !

Pour consoler un peu Papa, nous l'avons complimenté
en lui disant qu'il était très élégant dans son costume de chef
trop fashion, même s'il l'avait un peu sali en renversant
les poubelles du voisin en faisant fuir ces saletés de frelons.

PAUVRE PAPA !!! ☹

En tout cas, la bonne nouvelle, c'est que j'ai pu retourner
dans ma chambre pour bouder quelques heures de plus.
SNIF !

LUNDI 16 SEPTEMBRE

Aujourd'hui, nous avons eu une interro de maths sur le calcul des volumes et j'ai eu vraiment la trouille. Parce que je ne suis pas très bonne en maths.

La dernière fois que j'ai eu une note correcte, c'était il y a longtemps, au CP. Et encore, j'avais raté la moitié des exercices !

Ce jour-là, j'étais assise en face d'Andrea Snarkowski, la fille la plus intelligente de tous les CP. On faisait un test sur les additions, quand j'ai remarqué « par hasard » qu'un des résultats d'Andrea était différent du mien. Alors, à la dernière minute, j'ai barré ma réponse pour la remplacer par la sienne.

Et j'ai bien fait, parce que j'ai eu un A ! Ma maîtresse était si contente de mes progrès miraculeux – les bons jours, je m'en sortais généralement avec un D+ – qu'elle m'a donné une image avec un smiley tout doré. Une récompense qui, d'habitude, était réservée aux génies comme Andrea Snarkowski.

Comme j'étais devenue super bonne en maths, j'ai aussi gagné le prix de la «meilleure élève du mois», et ma photo a été publiée dans le journal de l'école.

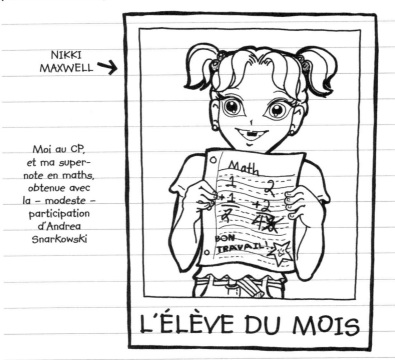

NIKKI MAXWELL →

Moi au CP, et ma super-note en maths, obtenue avec la – modeste – participation d'Andrea Snarkowski

Math
1   2
+1 +2
2   4

BON TRAVAIL!

L'ÉLÈVE DU MOIS

Mes parents étaient trop fiers de moi!

Ils ont photocopié l'article de journal 127 fois et l'ont envoyé à toute la famille.

Vous imaginez la joie des destinataires quand ils ont ouvert la lettre :

93

MON TROISIÈME COUSIN, BILLY-BOB

« Ethel, appelle les flics!
Encore une lettre anonyme!»

Il est possible que certains membres de la famille ne m'aient pas reconnue tout de suite.

Mais si ça avait été le cas, je suis sûre qu'ils auraient été vraiment fiers de moi.

N'empêche que l'interro de géométrie sur le calcul des volumes était super dure.

Je sais que j'aurais dû réviser plus. Mais comme j'ai passé tout le week-end à faire la tronche, j'ai eu beaucoup moins de temps pour travailler.

J'ai prié comme une idiote pendant toute l'interro.

Parfois même à voix haute :

« JE T'EN PRIE, MON DIEU, AIDE-MOI À RÉUSSIR
CETTE INTERRO ! JE SUIS VRAIMENT DÉSOLÉE D'AVOIR
RONFLÉ À LA MESSE DIMANCHE DERNIER ET ÇA
NE SE REPRODUIRA PLUS. AU FAIT, LA FORMULE
DE CALCUL DU VOLUME D'UN CYLINDRE, C'EST
$\pi\ r^2\ h$ ou $\pi\ h\ r^2$? ET POUR LE VOLUME DE LA SPHÈRE,
ON FAIT COMMENT, DÉJÀ ? »

J'ai l'impression que mes voisines m'ont entendue.

Quand l'interro s'est terminée – enfin –, j'étais trop contente !

Alors que j'étais en train de ranger mon sac à dos
pour aller au cours suivant, j'ai remarqué le regard diabolique
de MacKenzie braqué sur moi.

Ensuite, elle s'est dirigée vers Jessica et elle a dit :
« Aujourd'hui, c'est le dernier jour pour s'inscrire au concours
d'art, je vais déposer les papiers à l'accueil. On se retrouve
à mon casier, ça marche, ma *belle* ? »

Alors Jessica m'a regardée, puis a dit très fort : « Tu sais,
Hollister, je suis sûre que c'est toi qui vas gagner le premier
prix. Tes dessins de mode sont trop... TOP DÉLIRE ! »

J'ai eu du MAL à croire qu'elle avait vraiment dit « top délire »,
parce que cette expression est vraiment trop ringarde !

Mais ce qui m'a le plus énervée, c'est quand MacKenzie
m'a fixée avec son petit sourire satisfait et m'a dit : « Nikki,
tout le collège sait que tu es trop LÂCHE pour t'inscrire
au concours d'art, parce que JE SUIS meilleure que toi.
Alors un conseil : n'essaie même pas ! »

Bon, d'accord. MacKenzie n'a pas vraiment prononcé ces mots,
mais elle avait vraiment l'air de les penser.

De toute façon, c'était une grave INSULTE à mon intégrité.

Puis elle a secoué ses cheveux et a quitté la classe
d'un pas nonchalant. Je DÉTESTE quand elle fait ça !

Comment OSE-t-elle me parler en face de ce concours d'art ?

Surtout que c'est sa faute si je ne me suis pas inscrite !

Toute cette histoire m'a vraiment VÉNÈRE !

Et là, j'ai complètement pété les plombs et j'ai crié à pleins poumons : « Puisque MacKenzie a DÉCLARÉ la guerre, elle va L'AVOIR ! »
Mais j'ai dit ça dans ma tête, et personne d'autre que moi n'a entendu.

Je me suis aussi fait une promesse à moi-même :
« MOI, NIKKI MAXWELL, saine de corps et d'esprit, décide OFFICIELLEMENT de participer AU CONCOURS D'ART ! »

Une bonne fois pour toutes, je vais montrer à MacKenzie que j'ai d'INCROYABLES dons artistiques, et que je suis bien MEILLEURE qu'elle !

Alors j'ai rassemblé mes affaires et j'ai filé tout droit à l'accueil, pour m'inscrire.

Évidemment, MacKenzie m'avait devancée. Elle était en train d'appliquer sa quatorzième couche de gloss tout en déblatérant sur ses dessins de mode.

«Tout le monde dit que mes dessins sont trop BEAUX,
et que je vais devenir RICHE et CÉLÈBRE et m'installer
à HOLLYWOOD, bla bla bla, et bla bla bla...!»

Je commençais à me calmer, cachée derrière
une plante verte, juste à l'entrée du bureau quand,
enfin, MacKenzie est partie.

Ne va PAS t'imaginer que j'étais en train de l'espionner...

Non, je ne voulais juste pas attirer l'attention
ou faire croire à MacKenzie
que j'accordais
une quelconque
importance
à ce concours.

À la vérité, ce concours est super important pour moi.

C'est LA chose la plus importante que j'aie JAMAIS tentée
durant mes quatorze années de présence sur la planète Terre.

Je me suis précipitée dans le bureau.

Au moment de rendre mon inscription à la secrétaire,
j'ai eu une crise de panique. J'étais super excitée
mais en même temps j'avais la nausée, et tout ça
se mélangeait en moi comme des ordures dans une poubelle.

Je suis sortie du bureau et me suis appuyée contre le mur.

Mon cœur battait si fort que je l'entendais résonner
à mes oreilles. J'ai commencé à me demander si je n'avais pas
commis une énorme erreur.

Puis, subitement, j'ai eu l'étrange sentiment que
quelqu'un m'observait, même si le couloir avait l'air vide.

Soudain, j'ai vu bouger la plante derrière laquelle je m'étais
cachée, et un œil s'est fixé sur moi. Puis deux. Ils étaient
d'un bleu glacial.

MacKenzie (oui, LA MacKenzie)
m'espionnait, cachée derrière
la grande plante en pot
posée à l'entrée
du bureau !

ELLE AVAIT L'AIR

COMPLÈTEMENT HALLUCINÉE.

Elle a fini par sortir de sa cachette et par se diriger
d'un pas nonchalant vers la fontaine potable, comme si
elle avait vraiment soif... Mais je suis sûre qu'elle a fait exprès
de m'arroser pour me forcer à me retirer de la compétition.

OUPS!! DÉSOLÉE!

MacKenzie a essayé de faire l'innocente, comme pour s'excuser, comme si elle n'avait pas fait exprès de m'envoyer de l'eau en pleine figure. Mais je l'ai regardée droit dans ses petits yeux de fouine et j'ai vu que tout ça n'avait rien d'un accident.

Quand même, je n'en revenais toujours pas : je l'avais surprise en train de m'ESPIONNER!

Ce qui m'ÉNERVE beaucoup, parce que moi, je ne la suis pas partout, et je la laisse faire son petit business.

Enfin, la plupart du temps.

Aujourd'hui, c'était VRAIMENT exceptionnel :
nous nous sommes inscrites toutes les deux
au concours d'art au même moment.

Mais de là à descendre aussi bas, et à m'espionner ?!

CETTE FILLE EST COMPLÈTEMENT OUF!

Tu le croiras jamais : je t'écris depuis le local de service,
où je me suis cachée ! Je sais, c'est super sale ici, et ça sent
la vieille serpillière humide et moisie, mais je n'avais nulle part
où aller. Je DÉTESTE DÉTESTE DÉTESTE DÉTESTE
DÉTESTE DÉTESTE DÉTESTE DÉTESTE DÉTESTE
DÉTESTE ce collège pourri !

Aujourd'hui, à la cantine, je me dirigeais vers la table 9,
mon plateau à la main, pour y retrouver Chloë et Zoey.
Tout se passait bien : devant la table des garçons, je n'avais
pas eu droit aux horribles bruits de pets qu'ils font d'habitude,
en mettant leurs mains sous leurs aisselles.

Je suis passée devant la table de Hollister sans faire attention.
Elle et Jessica devaient être encore assez énervées contre moi
à cause de cette histoire de fête et de concours d'art, car
voici ce qui s'est produit :

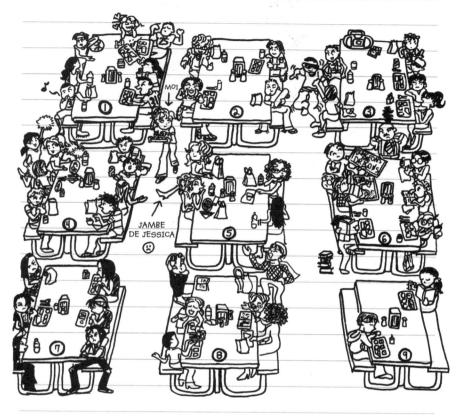

J'ai trébuché et soudain, tout a commencé à bouger au ralenti autour de moi. Mon plateau a volé par-dessus ma tête, et j'ai entendu une voix familière crier :

« NOOOOOOOONNN ! »

C'est alors que j'ai compris avec effroi qu'il s'agissait de MA voix !

CRASH!

Je me suis étalée de tout mon long. J'avais du mal à respirer.
J'étais couverte de spaghettis et de fromage blanc
à la confiture. J'avais l'air d'une de ces horribles peintures
au doigt de Brianna – grandeur nature.

J'ai fermé les yeux et suis restée étendue là, comme
une baleine échouée. J'avais mal partout, même aux cheveux.
Le pire, c'était que tout le monde était mort de rire.

J'aurais voulu mourir. Je n'y voyais rien à cause du fromage
blanc.

J'ai fini par trouver la force de me redresser pour me mettre
à genoux.

Mais à chaque fois que j'essayais de me lever, je glissais
dans la sauce bolognaise et retombais exactement
au même endroit.

Je dois reconnaître que ça devait être un beau spectacle,
de me voir patauger comme ça dans mon déjeuner.

Et si c'était arrivé à une autre, j'aurais sans doute
été morte de rire, comme tout le monde.

Soudain, MacKenzie a croisé les bras et a crié
en me regardant :

« ALORS, NIKKI, ON APPREND
À NAGER ? »

Évidemment, les rires ont repris encore plus fort.

Franchement, MacKenzie n'aurait rien pu trouver
de plus méchant à dire – surtout qu'elle était en partie
responsable de mon plongeon.

Je me suis sentie tellement humiliée que j'ai commencé
à pleurer.

La bonne nouvelle, c'est que mes larmes m'ont lavé les yeux,
ce qui m'a permis d'y voir un peu plus clair.

La mauvaise, c'est qu'à ce moment-là, j'ai vu un mec penché
sur moi, qui braquait l'objectif de son appareil photo
sur mon visage.

Or il n'y a qu'une seule personne dans tout le collège
à posséder un appareil de ce genre.

L'espace d'une seconde, j'ai vu très clairement l'image
qui allait faire la UNE du prochain numéro du journal
du collège !

Et cet article-là, je ne l'enverrai à personne de ma famille.

LE PETIT JOURNAL — 25¢ — MARDI 17 SEPTEMBRE

DÉSASTRE AU RÉFECTOIRE !

Une quatrième se fait un masque à la bolognaise

Par Brandon Roberts

Nikki Maxwell,

Pour moi, ça ne faisait pas de doute : MacKenzie avait ensorcelé Brandon avec son gloss MagicKiss Super Shine, et l'avait fait basculer du CÔTÉ OBSCUR DE LA FORCE !

Avant de lui faire un LAVAGE de cerveau !

Comment l'AMOUR de ma vie – que j'adore en secret – pouvait-il me faire une chose aussi HORRIBLE et aussi MÉCHANTE ?!

C'était comme s'il m'avait poignardé le cœur avec mon stylo préféré – celui à l'encre rose brillante avec les plumes, les perles et les sequins au bout. Sur le sol de la cantine, devant tous les élèves morts de rire. Brandon, mon chouchou !

Puis, soudain, une chose très étrange s'est produite.

BRANDON m'a souri, a baissé son objectif et attrapé
ma main pour m'aider à me relever.

« Ça va ? »

J'ai voulu répondre que oui, mais je n'ai réussi qu'à émettre
un drôle de gargouillis, comme si je m'étranglais. J'ai avalé
ma salive et pris une profonde inspiration.

« Oui, oui, ça va. Hier soir, j'ai mangé des spaghettis,
mais ils n'étaient pas aussi glissants ! »

J'ai eu super honte. J'arrivais pas à croire que je venais
de dire un truc pareil. Quelle nouille !!

Puis, captivée, j'ai vu Brandon me tendre un mouchoir
en papier, comme au ralenti. J'ai failli MOURIR sur place
quand nos doigts se sont FRÔLÉS...

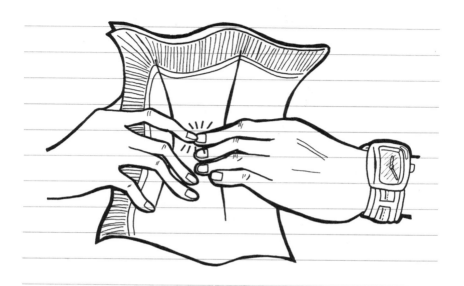

... légers, aussi légers que les gentils petits écureuils sauvages qui boivent le nectar sucré de ces délicates fleurs violettes que ma mère a dans son jardin et que mon père, sans le faire exprès, a aspergées de désherbant. Nos regards se sont accrochés et, l'espace d'un instant, ce fut comme une plongée dans les mystérieuses profondeurs de nos âmes blessées. Je n'oublierai jamais les mots qu'il a murmurés à mon oreille frissonnante :

« Euh... Je crois que tu as quelque chose, là, sur la figure... »

J'ai rougi et j'ai eu soudain les jambes en coton.

« Ça doit être mon déjeuner... »

« Oui, sans doute... »

Hélas, notre conversation intime a été brutalement interrompue
par M. Snodgrass, le surveillant de la cantine.

Il a commencé à nettoyer le sol et à me faire la leçon,
comme quoi, en tant que jeune adulte, je devrais savoir tenir
un plateau sans faire tomber la nourriture qui est dessus.
Brandon a levé les yeux au ciel d'une façon très chevaleresque,
puis il m'a souri de nouveau.

« On se voit en SVT, alors. »

« Oui, d'accord. Et merci pour le mouchoir. »

« Je t'en prie. »

« En fait, j'ai les mêmes à la maison. »

« Ma mère les achète en promo. À l'hyper... »

« Ah ouais ? C'est... top. Allez, à plus ! »

« Oui, OK, en SVT. »

Puis Brandon a pris son sac à dos et a quitté la cantine.

Moi, j'ai poussé un long soupir en serrant le mouchoir
sur mon cœur.

Malgré tout ce qui venait de se passer,
je me suis soudain sentie
trop heureuse et super
émue.

Mais ça n'a duré que
quelques secondes
– le temps que j'aperçoive
Hollister MacKenzie.

Elle était si vénère que
tout son visage était
tordu et avachi.

MACKENZIE

En fait, elle faisait presque PEUR!

« J'espère que tu n'es pas assez BÊTE pour croire
qu'il s'intéresse à une NOUILLE dans ton genre? » a-t-elle
hululé comme une vieille sorcière.

Je devais être un peu à l'ouest, parce que je n'avais pas
la moindre idée de ce dont elle parlait.

« Euh... qui ça, IL? »

C'est alors que Jessica s'est mise à hurler : « T'es vraiment
un BOULET! OMG, regarde-toi! Je suis sûre que tu as fait
dans ta culotte! »

MacKenzie a répété : « OMG! T'as raison. Elle a vraiment
fait dans sa culotte! »

Ensuite elles ont commencé à rigoler en me montrant
du doigt.

Je les ai regardées et j'ai dit : « Oui, vous avez raison!
J'ai renversé du LAIT sur mon pantalon. Vous savez pas
ce que c'est, espèces de débiles? »

Puis je me suis enfuie en courant et j'ai filé tout droit
aux toilettes des filles.

Il y avait au moins cinq filles, qui s'échangeaient leurs gloss
pour les goûter et se regardaient dans le miroir.

Quand elles m'ont vue débouler, elles se sont complètement
figées, et m'ont fixée, la bouche grande ouverte.

On aurait dit qu'elles n'avaient JAMAIS vu une fille couverte
de la tête aux pieds de spaghettis et de fromage blanc
à la confiture.

Franchement, il y a des gens qui sont GRAVES !

J'ai reculé dans le couloir, comme un zombie. Mais au lieu
de répandre derrière moi des traînées de chair putride
toute gluante, je laissais des traces de spaghettis,
de bolognaise et de fromage blanc.

Soudain, j'ai remarqué que la porte du local de service,
à côté de la fontaine d'eau potable, était légèrement
entrouverte. Je me suis glissée à l'intérieur, et comme
il n'y avait personne, j'ai refermé la porte derrière moi.

Je me sentais TROP MAL! C'est à ce moment-là que j'ai éclaté en sanglots et que j'ai commencé d'écrire mon journal.

Bientôt, j'ai entendu des voix vaguement familières chuchoter et ricaner derrière la porte.

J'étais sûre que MacKenzie et ses copines me cherchaient pour me chambrer encore un peu plus sur mon pantalon.

« Tu es sûre qu'elle est là-dedans? »

« Je crois, oui. Les traces de spaghettis s'arrêtent ici.
Regarde, des empreintes de fromage blanc !
Elle s'est sûrement cachée ici ! »

AÏE ! J'ÉTAIS TRÈS MAL !

J'aurais donné n'importe quoi pour me volatiliser.

Elles ont osé frapper à ma porte – enfin, pas vraiment
à ma porte, mais à la porte du local de service.

J'ai eu soudain l'impression d'être la victime, en plein
film d'horreur, la fille qui est seule chez elle et qui entend
frapper à la porte.

Et quand elle va l'ouvrir, tout le monde dans la salle crie :
« N'Y VA PAS ! N'Y VA PAS ! »

Mais elle ouvre quand même parce qu'elle ne sait pas
qu'elle est dans un film d'horreur.

Mais qui peut bien frapper
à ma porte ?

C'est peut-être le livreur de pizzas ?

Une coupe de cheveux gratuite,
vous dites ?!

Mais je ne suis pas DÉBILE !

Je SAVAIS que j'étais prise au piège, alors je n'ai PAS OUVERT. D'un seul coup, tout est devenu très calme, et j'ai pensé à une ruse pour me faire croire qu'elles étaient parties.

Pourtant, je savais très bien qu'elles étaient encore là.

« Nikki, ça va ?! On vient d'apprendre ce qui s'est passé. »

« Oui, et on voulait vérifier que tu allais bien ! »

J'ai fini par reconnaître les voix.

C'étaient CHLOË ET ZOEY !!!

Zoey a dit : « Ne me force pas à enfoncer cette porte, Nikki, tu sais que j'en suis capable ! »

Ça m'a bien fait rire, parce que Zoey a déjà du mal à ouvrir le cadenas de son casier, et parfois aussi ses bouteilles d'eau.

C'est ça, oui, je te crois...

Ensuite, Chloë a lancé : « Si tu ne sors pas, c'est nous qui allons entrer ! »

L'instant d'après, Chloë et Zoey ont passé la tête dans le local
de service et fait des tas de grimaces.

Chloë pouffait et
agitait les mains
en écartant les doigts,
et Zoey me tirait
la langue en fermant
un œil.

On aurait dit des...

« QUOI DE NEUF,
MEUF? »

Je ne sais pas pourquoi, mais le fait de les voir m'a donné
envie de pleurer. L'instant d'après, enfermées dans le local
de service, on discutait de ce qui venait de se passer
avec Jessica et MacKenzie.

J'ai volontairement « oublié » de parler de Brandon,
parce que j'étais encore un peu troublée. En plus, j'étais sûre
qu'entre MacKenzie et moi, il préférait cent fois MacKenzie.

Si j'étais un garçon, je penserais sans doute comme lui.
Malgré tout, je n'abandonnais pas l'espoir que Brandon
s'intéresse à moi.

La pause de midi s'est terminée. Avec du papier toilette
et du savon, Chloë et Zoey m'ont aidée à nettoyer
mes vêtements, directement au-dessus du grand bac.

Il restait quand même des taches. Je n'en ai pas cru mes yeux
quand j'ai vu Zoey courir vers son casier pour aller chercher
son pull porte-bonheur préféré, que j'ai enfilé par-dessus
le mien.

Chloë a dit aussi que si j'appliquais une couche supplémentaire
de son gloss pomme d'amour ultrabrillant, et une touche de
son eyeliner Midnight Blue, tout le monde (surtout les mecs)
remarquerait mes belles lèvres pulpeuses et mes yeux rêveurs,
et pas la tache de p... euh, de lait sur le devant
de mon pantalon.

Une tache qui ne se voyait plus trop car elle commençait
à sécher.

Malgré la catastrophe de la cantine, je me sentais beaucoup
mieux. Peut-être que je ne déteste plus autant ce collège
qu'avant ? En tout cas, je parie que Brandon me trouve trop

DÉBILE !!

MERCREDI 18 SEPTEMBRE

Je crois que je souffre d'aportablophobie. Je sais que ça sonne comme le nom d'une méchante maladie, de celles qui vous font pousser sur tout le corps d'étranges boutons qui grattent et qui coulent, mais...

En fait, il s'agit de la peur irrationnelle de ne PAS avoir de portable.

Le pire, dans l'aportablophobie, c'est qu'elle peut provoquer des hallucinations et pousser à commettre des actes IRRATIONNELS.

J'ai l'impression qu'aujourd'hui, en rentrant du collège, cette maladie déroutante s'est emparée de moi.

Là, sur le trottoir, juste devant la boîte aux lettres, j'ai vraiment cru voir un de ces jolis petits trucs qu'on accroche à son oreille pour téléphoner.

Je me suis dit : « GÉNIAL !!! Une oreillette GRATUITE ! QUELLE CHANCE ! »

Mais quand je me suis approchée, j'ai vu que l'objet
en question était couleur chair.

C'est là que j'ai compris qu'il s'agissait d'une PROTHÈSE
AUDITIVE.

Bien sûr, j'ai été très très déçue, parce que j'avais vraiment
trouvé ça GÉNIAL de tomber sur une oreillette, comme ça,
sur le trottoir.

Je me suis dit que la prothèse devait appartenir
à Mme Wallabanger, la vieille dame qui habite à côté
de chez nous.

Je me suis doutée qu'elle était dure
d'oreille parce que ces derniers jours,
quand je lui disais « Bonjour »
en la croisant sur le chemin de l'école,
elle me demandait au moins sept fois
de répéter ce que je venais de dire.

Elle a un affreux petit yorkshire,
Macaron, qu'elle promène
deux fois par jour.

Macaron ressemble à une petite boule de poils sur pattes, mais il est aussi teigneux qu'un doberman.

Pendant cinq minutes, j'ai hésité à aller frapper à la porte de Mme Wallabanger pour lui demander si elle avait perdu sa prothèse auditive. Si ce n'était pas le cas, je risquais de perdre beaucoup de temps et d'énergie pour rien. Et ce serait bien PIRE encore si elle avait VRAIMENT perdu sa prothèse. J'avais raison. Voici ce qui s'est passé.

MOI
(parlant très fort)

MME WALLABANGER
(ne m'entendant pas très bien)

GRRRRR!!
GRRRRR!!

MACARON
(grognant et tentant de me mordre)

CE QUE J'AI DIT	CE QU'ELLE A DIT
« Bonjour, madame Wallabanger. Vous n'auriez pas perdu votre prothèse auditive, par hasard ? »	« Que dites-vous, jeune fille ? »
« Votre prothèse !!! Vous l'avez perdue ? »	« Allons, parlez, voyons ! »
« Avez-vous perdu votre prothèse auditive ? »	« Quoi ? Vous trouvez que j'ai l'air d'une vieille endive ??!! »
« Appareil !! » « Oui, votre appareil !! »	« Prends garde à toi, espèce de petite insolente ! Sors d'ici, et en vitesse ! »

Tant pis ! Puisque ma petite conversation avec Mme Wallabanger a mal tourné, j'ai décidé de garder sa prothèse pendant quelques jours. De toute façon, elle ne sort de chez elle que pour aller promener son chien, alors... Quelle est la pire chose qui puisse lui arriver ?

« Eh, madame, vous allez marcher
dans un gros tas de...! »

« Vous m'entendez, madame?
Attention au ciment frais! »

« Macaron, mon chéri, qu'est-ce
qu'on entend? Est-ce le cri de l'oie
des marais à ventre jaune?!? »

En fait, la pire chose qui puisse arriver à Mme Wallabanger
est de se faire renverser par un semi-remorque!

Mais ce ne serait pas vraiment ma faute, n'est-ce pas?!

Aujourd'hui, M. Simmons, le prof de SVT, a rappelé que nous devons lui rendre nos travaux sur le réchauffement climatique lundi prochain. Je n'ai pas la moindre idée de ce que je vais faire. Le mieux est d'attendre que l'inspiration me vienne – c'est-à-dire au dernier moment, comme d'habitude.

À midi, j'ai vu une bande de filles du CCC agglutinées autour de MacKenzie pour admirer son portable Prada flambant neuf. Et tu sais quoi? Elle portait une oreillette presque identique à la prothèse auditive que j'ai trouvée.

Même si je commençais à culpabiliser d'avoir gardé l'appareil de Mme Wallabanger, j'ai soudain eu une idée brillantissime pour mon devoir de SVT.
Mon projet serait très utile pour :

1. Favoriser le recyclage afin de diminuer la pollution.

2. Stopper le réchauffement climatique en réduisant le nombre de personnes scotchées à leur portable et qui ne le lâchent jamais – comme s'il s'agissait d'une prothèse, justement!

3. Booster ma popularité au collège en faisant croire à tout le monde que je possède une oreillette flambant neuve et super chère, exactement comme MacKenzie.

J'ai emprunté l'appareil photo de mon père pour mettre mon projet en images.

COMMENT FABRIQUER UNE FAUSSE OREILLETTE DE PORTABLE À PARTIR D'UNE VIEILLE PROTHÈSE AUDITIVE
(un projet de SVT réalisé par NIKKI MAXWELL)

Salut, je m'appelle Nikki et je vais vous montrer comment fabriquer une oreillette de portable factice avec une vieille prothèse auditive. Notez que le mot « factice » signifie « faux ». Il est souvent utilisé pour désigner les échantillons de parfum géants que l'on voit dans les vitrines, par exemple.

ÉTAPE N° 1 :
RASSEMBLE LE MATÉRIEL NÉCESSAIRE.

Pour réaliser cette oreillette, il te faut :

• 1 prothèse auditive (recyclée, trouvée ou empruntée)
• 1 assiette en carton
• 1 bombe de peinture (noire ou argentée selon le modèle désiré)

ÉTAPE N° 2 : PEINS TA PROTHÈSE.

En faisant appel à mes talents artistiques et à mon sens inné de la création, je place la prothèse de Mme Wallabang... euh... ma prothèse recyclée dans l'assiette en carton. Ensuite, je la vaporise avec précaution de peinture noire brillante.

Je laisse sécher pendant 30 minutes.

Le recyclage est essentiel pour lutter contre le réchauffement climatique, comme nous l'a enseigné notre cher professeur de SVT, M. Simmons (un coucou à M. Simmons).

ÉTAPE N° 3 :
ÉCRIS LE TEXTE DE TES FAUX APPELS.

Votre oreillette aura l'air si vraie qu'elle trompera tous vos amis, mais gardez quand même toujours à l'esprit qu'elle n'est PAS vraie. Cela signifie que vous devez préparer quelques phrases types à prononcer lorsque vous la porterez, du style :

1. « Biiip-biiip-biiip ! Biiip-biiip-biiip ! »
(Ceci est la sonnerie de votre téléphone. Je vous recommande d'opter pour un son aigu, plus authentique. Vous pouvez aussi chanter ou fredonner votre chanson préférée.)

2. «OMG! J'arrive pas à croire qu'elle ait dit un truc pareil!
Je raccroche et j'appelle tout de suite (glisser le nom
de la plus grande commère de votre collège).»

3. «J'adorerais te donner mon numéro, mais je reçois tellement
d'appels que mes parents m'ont menacée de me confisquer
mon téléphone si je le communiquais à tout le monde.
Mais je peux te mettre sur ma liste d'attente, si tu veux...»

4. «Allô? Allô? Vous m'entendez, là? Vous avez raccroché?
Allô?!»

5. «Encore un appel coupé! Ils sont vraiment nuls, chez
(insérer le nom de l'opérateur téléphonique chez lequel
vous êtes abonné)!»

6 «Salut, je voudrais commander une grande pizza
avec beaucoup de (indiquez votre garniture préférée) et sans
(insérez le nom de la garniture que vous n'aimez pas). Merci!»

7 «M...! Ce truc ne marche plus! Soit ma batterie est
à plat, soit il faut que j'achète des minutes supplémentaires.
Désolée!»

(Ceci est un mensonge très convaincant dont vous aurez besoin quand quelqu'un vous demandera d'emprunter votre portable. N'OUBLIEZ PAS QUE TOUT CECI EST FAUX!)

ÉTAPE N° 4 :
CLIPPE TA FAUSSE OREILLETTE SUR TON OREILLE ET COMMENCE À PARLER.

Félicitations!

Ta nouvelle oreillette est prête à être utilisée en public!

IMPRESSIONNE ta famille et ÉTONNE tes amis!

Mais le plus important, c'est d'apporter ta contribution
à la lutte contre le réchauffement climatique en transformant
AUJOURD'HUI MÊME une vieille prothèse auditive
en oreillette!

********** FIN **********

Malheureusement, les choses se sont un peu compliquées
à l'étape 4. Après le dîner, j'ai décidé de tester la sonnerie
de mon portable pour pouvoir recevoir de faux appels
dès le lendemain, au collège. Je portais mon oreillette depuis
cinq minutes à peine quand j'ai ressenti une légère irritation et
une sensation de brûlure dans – et autour – de l'oreille droite.

Au bout de dix minutes, mon oreille était toute rouge
et me démangeait terriblement.

J'en ai très vite conclu que tout ça était la faute
de ma MÈRE!

Pourquoi n'a-t-elle jamais pris la peine de me dire que j'étais
fortement allergique à la peinture noire en bombe? Je ne
le saurai jamais. Elle devait forcément être au courant,
n'est-ce pas? Après tout, c'est ELLE qui m'a donné la vie!

Heureusement, il restait encore un peu de la pommade
antihistaminique que mon père avait utilisée lors de l'attaque
des frelons. Je m'en suis étalé sur l'oreille et le côté droit
du visage.

Comme je ne savais plus quoi faire de la prothèse
de Mme Wallabanger, j'ai jugé qu'il serait moral
et juste de la lui rendre.

DE MANIÈRE ANONYME!

J'ai mis la prothèse dans une petite boîte ornée d'un joli nœud
et j'ai ajouté une étiquette. Puis je l'ai posée sur le pas
de sa porte, j'ai sonné et
je suis partie en courant.
Ce n'est pas que j'avais
peur d'elle, pas du tout!
Mais je voulais que ce soit
une vraie surprise.

Pour
Mme
Wallabanger ☺

Plus tard, ce soir-là, j'ai vu
Mme Wallabanger promener son chien.
Elle portait sûrement sa prothèse, car
elle souriait d'un air ravi.

Si jamais je trouve une autre prothèse sur le trottoir, je ne me baisserai pas pour la ramasser. J'espère juste que :

1. J'obtiendrai une note correcte pour mon projet sur le réchauffement climatique et que...

2. Ces horribles démangeaisons auront cessé quand je partirai pour le collège, demain matin!

AÏE ☹

J'étais en train de me préparer pour partir au collège quand je me suis aperçue que j'avais toujours des rougeurs à l'oreille ! J'ai failli m'étouffer avec mon dentifrice gel fraîcheur menthe, anti-plaque, super-blanchissant, effet bain de bouche et prévention caries.

Maintenant que mon chéri, Brandon, avait fini par remarquer mon existence, il était hors de question que j'aille au collège avec une éruption qui donnait l'impression que je m'étais greffé une oreille d'éléphant – ou plutôt, le pavillon d'un pachyderme qui aurait pris un sérieux coup de soleil !

Je savais que ma mère ne m'autoriserait pas à rester à la maison, sauf si j'atteignais une température corporelle de 142 °C au moins. Ce qui, soit dit en passant, est la température à laquelle elle fait cuire sa dinde de Noël.

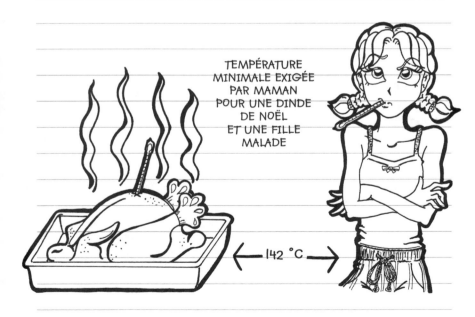

TEMPÉRATURE
MINIMALE EXIGÉE
PAR MAMAN
POUR UNE DINDE
DE NOËL
ET UNE FILLE
MALADE

← 142 °C →

Le dicton de ma mère, c'est : « Un cas bénin de lèpre
ou de gangrène n'est pas un motif suffisant pour manquer
l'école. »

Après avoir essayé toutes les ruses de la Terre, j'ai enfin
trouvé le moyen de convaincre ma mère que j'étais trop malade
pour aller au collège : faire semblant de me vomir dessus.

C'est complètement dingue, NON ?

Cette idée m'est venue au printemps dernier, quand Brianna
a eu une gastro. Ma mère avait pris une semaine de congés
pour la garder.

En plus, elle l'a complètement gâtée pourrie ; elle lui a même
acheté tous ses films Disney préférés en DVD et un nouveau
jeu vidéo.

Je crois que tout ce vomi a vraiment impressionné Maman.
Trois semaines plus tard, c'était mon tour de manquer
l'école à cause d'une pharyngite carabinée.

J'espérais obtenir au moins un ou deux nouveaux CD, mais tout ce que Maman m'a acheté, c'est une pauvre boîte d'esquimaux! Des esquimaux basses calories en plus, sans sucre! On aurait dit du vinaigre à cornichons givré planté sur un bâton! Beurk!

Merci mille fois, Maman!

Mais je dois reconnaître que Brianna était beaucoup plus malade que moi. Elle ne pouvait rien avaler, même pas de l'eau!

Je refusais de l'approcher sans ma « protection totale anti-gerbe »!

Comme j'étais sûre que Maman ne prendrait pas mes plaques rouges assez au sérieux pour me faire manquer les cours, j'ai filé dans la cuisine pour me préparer une dose express de gerbe factice, ou « faux vomi ». Tout ça pour faire oublier l'allergie provoquée par mon « faux portable ». Encore une ironie du sort, comme la vie nous en réserve parfois la surprise !

Heureusement pour moi, j'étais la première levée. J'avais la cuisine pour moi toute seule pour une quinzaine de minutes à peu près. Comme j'allais forcément me salir, j'ai enfilé mon vieux pyjama à cœurs et j'ai dévalé l'escalier.

Ma recette secrète était très simple à réaliser, et elle présentait l'aspect et l'odeur du vrai vomi :

FAUX VOMI
SPÉCIAL SÉCHAGE
DE COURS

1 tasse de flocons d'avoine cuits

½ tasse de crème liquide périmée (ou de yaourt ou tout autre ingrédient qui sent le lait caillé)

2 bouts de fromage hachés fin (pour la consistance)

I œuf cru (pour la texture gluante)

I boîte de soupe de pois cassés (pour la sale couleur verte)

½ tasse de raisins secs (pour faire plus dégueu que nature)

Mélanger tous les ingrédients dans une casserole
et les laisser frémir à feu doux pendant 2 min.

Laisser refroidir jusqu'à la température du vomi chaud.
Utiliser selon vos besoins.

Pour 4 ou 5 tasses

ATTENTION : ce truc est tellement dégueu qu'il peut
provoquer des nausées et te faire vomir pour de vrai.
Dans ce cas, tu ne pourras vraiment pas aller à l'école !

J'en ai versé 2 tasses dans un bol, suis remontée à toute
vitesse dans ma chambre et ai tout renversé sur le devant
de mon pyjama. Puis je suis allée dans le couloir et j'ai gémi
d'une toute petite voix :

« MAMAN ! Viens vite ! Je ne me sens pas très bien.
J'ai très mal au cœur et je crois que je vais...

beuuurrrrgggg »

Évidemment, ça a super bien marché ! ☺ Maman était
totalement convaincue. Elle a dit qu'en plus d'un problème
d'estomac, j'avais aussi l'oreille un peu rouge.

Elle a dit que comme je n'avais pas de fièvre, je me sentirais
sans doute mieux après une bonne journée de repos.
En essuyant une larme, je lui ai dit que je me sentais déjà
beaucoup mieux. Puis elle a nettoyé mon « vomi », m'a fait
couler un bain avec de la mousse et m'a remise au lit
avec un gros bisou.

J'ai dormi jusqu'à mon émission préférée de midi. J'ADORE
Tyra Banks!

Quand je suis descendue à la cuisine pour grignoter
quelque chose, je me suis aperçue que j'avais complètement
oublié de jeter le reste de mon faux vomi.

Alors, quand j'ai vu que Maman m'avait laissé un mot
sur le comptoir, tout près de la casserole de vomi vide,
j'ai su qu'elle avait tout compris et que j'allais avoir de gros
ennuis. J'ai commencé à paniquer et senti mon estomac
se révolter, pour de vrai cette fois.

J'ai commencé à lire :

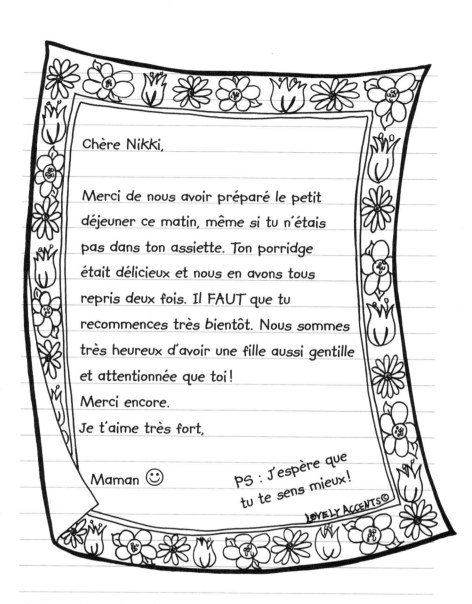

Chère Nikki,

Merci de nous avoir préparé le petit déjeuner ce matin, même si tu n'étais pas dans ton assiette. Ton porridge était délicieux et nous en avons tous repris deux fois. Il FAUT que tu recommences très bientôt. Nous sommes très heureux d'avoir une fille aussi gentille et attentionnée que toi!
Merci encore.
Je t'aime très fort,

Maman ☺

PS : J'espère que tu te sens mieux!

LOVELY ACCENTS©

J'ai passé tout l'après-midi à ne rien faire, regarder la télévision et vider le frigo. Je me suis même commandé une pizza!

MOI ET
MA BOUFFE!

De plus, j'avais trois bonnes raisons de me réjouir :

1. L'émission de Tyra Banks était trop top !

2. Mes rougeurs ont complètement disparu.

3. Mes parents me prennent pour un cordon bleu !

J'ai l'impression que Chloë et Zoey sont devenues complètement folles !

D'abord, elles ont pété les plombs quand Mme Peach a annoncé qu'elle emmènerait six de ses ABS les plus dévoués et les plus dynamiques en voyage : cinq jours à New York, à l'occasion de la Semaine nationale des bibliothèques !

D'après ce que j'ai compris, c'est un genre de carnaval de mardi gras, pour les gens qui sont obsédés par les bouquins. Mme Peach est déjà en train de concocter un programme, alors que la manifestation est prévue en avril, dans plus de six mois.

Mais quand Mme Peach a annoncé qu'on pourrait rencontrer de nombreux auteurs vraiment célèbres comme Kate Brian, Scott Westerfeld, D.J. MacHale, et aussi un autre dont je n'ai jamais entendu parler (Zoey dit que c'est le fils de Dr Phil et de sa psy pour ados préférée), Chloë et Zoey ont commencé à crier et à sauter dans tous les sens.

Alors j'ai dit : « Eh, les filles, CALMEZ-VOUS, S'IL VOUS PLAÎÎÎÎÎÎÎÎT ! »

L'ANNONCE DE MME PEACH

Je veux dire, j'étais contente, mais pas tant que ça.

En revanche, si Mme Peach nous avait annoncé qu'elle nous

emmenait à NYC pour rencontrer les frères Jonas, Kanye West

ET Justin Timberlake, j'aurais été en hyperventilation,
je serais tombée dans les pommes et j'aurais roulé par terre.

CE QUE J'AURAIS AIMÉ QUE
MME PEACH ANNONCE :

Chloë et Zoey sont des copines vraiment sympas et adorables,
mais franchement, des fois, je les trouve... super chelou.

Pendant que nous rangions les livres, elles n'ont pas arrêté
de se demander comment convaincre Mme Peach
de nous choisir toutes les trois pour le voyage à New York.

« On pourrait essayer d'être les ABS les plus dévouées
et les plus dynamiques ? ai-je proposé. On pourrait
commencer par épousseter les livres, par exemple. »

Pour moi, c'était évident.

Mais Chloë et Zoey m'ont regardée comme si j'étais folle.

« Tous les autres ABS vont faire ce genre de trucs
super ennuyeux pour se faire bien voir ! » a grommelé Chloë.

« Oui ! Si on veut vraiment impressionner Mme Peach,
il faut réfléchir à un plan secret ! » a ajouté Zoey, tout excitée.

Bon, j'avoue, épousseter les livres de la bibliothèque n'était pas
vraiment ce que j'appellerais une idée géniale. Mais ça aurait
sans doute résolu mon petit problème d'éternuement.

Nous étions en train de mettre des revues sur
les présentoirs quand Chloë a pris un numéro de *Top Girl's*
Magazine et s'est plongée dedans. Soudain, elle s'est écriée :

« OMG ! Voilà exactement ce qu'on doit faire ! »

« Quoi ? Nous relooker et devenir des top model ? » ai-je
demandé d'un air sarcastique.

« Mais non ! » a répondu Chloë en levant les yeux au ciel.

Soudain Zoey s'est écriée : « J'ai trouvé ! Regardez ça :
Comment - avoir - une peau - sans boutons ! »

Elle lisait un titre imprimé sur la couverture.

« Mais non ! a protesté Chloë. Pas ça ! » Elle était si excitée que ses yeux lui sortaient presque des orbites. Puis elle nous a montré quelque chose du doigt.

« ... ÇA !! »

Moi et Zoey, on a dit :
« Des TATOUAGES ?
T'es FOLLE ou quoi ?! »

« Un tatouage qui incite
à la lecture, ce serait
parfait, non ? Et ça
montrerait que nous
sommes sérieuses et dévouées.
Avec ça, Mme Peach nous choisira sûrement pour New York ! »
a lancé Chloë d'une voix perçante.

Fascinée, Zoey a longuement regardé le superbe mannequin, en couverture du magazine.
« C'est top, comme idée ! Je vous parie qu'on aura l'air aussi cool qu'elle avec notre tatouage ! Trop beau ! »

Je supporterais sans doute un ennuyeux voyage scolaire
pendant la Semaine nationale des bibliothèques. Mais il est
hors de question que je me fasse tatouer en l'honneur
de cette manifestation. Et puis, imagine un peu le genre
de tatouage...

Il fallait réfléchir vite. « Euh... je suis d'accord, les filles,
c'est une idée géniale. Mais je me suis aperçue il y a
quelques jours que... Enfin, que je suis super allergique aux...
aux prothèses auditives peintes à la bombe. »

Chloë et Zoey m'ont regardée d'un air perplexe.

« Mais… qui s'amuse à bomber des prothèses auditives ?
C'est une drôle d'idée, non ? » a lancé Chloé en secouant
la tête, comme si je lui faisais vraiment pitié. Zoey a approuvé.

C'est alors que j'ai pété les plombs et que j'ai crié : « Vous
savez ce que je trouve drôle, moi ? Se faire tatouer un truc
en l'honneur de la Semaine nationale des bibliothèques !! »
Mais en réalité, je n'ai fait que hurler dans ma tête,
et personne d'autre que moi n'a entendu.

« Oui, la peinture en bombe et l'encre de tatouage sont des
produits… colorés, et je suis presque sûre d'y être allergique.
C'est très embêtant, parce que j'aurais adoré me faire
tatouer un jour, avant de mourir. »

« Si c'est un problème médical, on comprend Zoey.
Tu veux bien nous aider à choisir nos dessins ? » m'a proposé
Chloë pour me réconforter.

« Oui, on va demander à nos parents de nous emmener
au studio de tatouage ce week-end ! a dit Zoey, tout excitée.
J'ai hâte de voir la tête de Mme Peach quand elle découvrira
nos créations ! »

Moi, je voyais déjà sa tête quand elle découvrirait Chloë et Zoey...

PAUVRE MME PEACH ! ☹

J'espérais que Chloë et Zoey oublieraient leur idée stupide de tatouage. Dieu merci, leurs parents ont dit «Pas question!», mais quand je les ai vues, en sport, elles étaient encore furieuses.

Notre prof nous a divisées par groupes de trois pour tester nos talents de danseuses et j'étais très heureuse d'être avec Chloë et Zoey. Chaque groupe était censé choisir un morceau classique et faire un petit enchaînement des cinq figures de ballet que nous avions apprises au cours des dernières semaines. Comme je les connais toutes, j'étais sûre d'avoir un A ou, au moins, un B+.

MOI EN TRAIN DE FAIRE UNE SUPER-DÉMONSTRATION DE MES TALENTS DE DANSEUSE

Mais Chloë et Zoey étaient trop déprimées pour participer.

J'ai essayé de les motiver : « Allez, les filles, réveillez-vous !
Il faut répéter nos figures et les présenter ! » Mais
elles se contentaient de me regarder avec leurs grands yeux
de cockers tristes.

« J'y crois pas : nos parents refusent qu'on se fasse tatouer !
C'est super injuste ! » gémit Chloë.

« Et maintenant, Mme Peach ne nous choisira jamais
pour le voyage à New York ! Tous nos rêves et nos espoirs
anéantis d'un seul coup ! » se plaignit Zoey, en essuyant
une larme.

Elles ont passé trois quarts d'heure à se plaindre, et moi,
en bonne copine attentionnée, je les ai écoutées calmement.

Puis la prof s'est approchée et nous a dit qu'elle était prête
à nous noter et que nous passerions en seconde position.
J'ai failli avoir une attaque, parce qu'on n'avait pas répété
l'enchaînement ni même choisi la musique.

Je me suis dépêchée d'aller chercher un CD. Il ne restait que *Le Lac des cygnes*. J'avais vu MacKenzie le regarder un peu avant et je me méfiais. La première précaution à prendre était d'ouvrir le boîtier. Heureusement, le CD y était toujours. Décidément, je ne faisais pas du tout confiance à cette fille.

Le premier groupe était celui de MacKenzie et je dois reconnaître qu'elles se sont bien débrouillées. Il faut dire qu'à elles trois, elles doivent totaliser au moins quatre-vingt-neuf ans de cours particuliers. Elles ont interprété la « Danse de la fée Dragée » et ont terminé leur enchaînement par cette figure :

Quelle bande de FRIMEUSES! Franchement, quelle est la vraie danseuse classique qui terminerait par un grand écart et un large sourire – comme si on venait de lui enlever ses bagues dentaires! J'ai failli leur crier « Hé, les filles! On n'est pas à la *Star Ac*! », mais je me suis contentée de le penser très fort dans ma tête.

Ensuite, ça a été notre tour et j'ai commencé à avoir des papillons dans l'estomac. Je n'étais pas nerveuse, mais je déteste être humiliée en public. Chloë a dû remarquer quelque chose dans mon expression parce qu'elle a murmuré : « Pas de panique! Suis-moi, c'est tout. J'ai pris des cours de danse pendant trois semaines, en cinquième, souviens-toi! » J'ai répondu : « Merci de m'avoir raconté ça, Chloë. Je me sens VRAIMENT rassurée, maintenant! » ☹

Alors Zoey a murmuré : « L'idéal de la vie n'est pas l'espoir de devenir parfait, mais la volonté d'être toujours meilleur. Ralph Waldo Emerson. » Ce qui, bien sûr, est complètement à côté de la plaque!

Tout à coup, j'ai commencé à douter sérieusement de notre enchaînement, alors qu'on n'avait même pas commencé. Je venais de découvrir que le boîtier marqué

Le Lac des cygnes ne contenait pas le CD *Le Lac des cygnes*...
Quand j'ai lu le titre, j'ai fait :

C'était *Thriller*, de Michael Jackson !

Puis la prof m'a pris le CD des mains, l'a inséré
dans le lecteur et nous a dit d'aller nous mettre en place.

J'ai tenté d'expliquer que nous avions un léger problème
avec notre musique, mais j'ai été perturbée par la bande
de MacKenzie qui ricanait et se donnait des petits coups
de coude complices. Elles avaient obtenu un A+ pour
leur performance.

Ce n'est pas que j'étais jalouse ou quoi, mais je trouvais leur attitude vraiment trop puérile.

Quand notre musique a démarré, Zoey avait complètement oublié que nous étions censées réaliser un enchaînement de figures classiques. Elle a commencé à faire des mouvements bizarres, comme l'un de ces zombies qui entourent Michael Jackson dans le clip de *Thriller*.

Je n'ai pas eu d'autre choix que de l'imiter. J'ai pensé que la prof nous retirerait sûrement des points si je m'appliquais à faire des pointes et des pliés, comme un petit rat de l'opéra, à côté de Chloë et Zoey qui jouaient les morts-vivants.

J'adore Chloë et Zoey, vraiment. Mais je ne pouvais pas m'empêcher de me demander : « Pourquoi ai-je toujours des copines un peu folles ? Je les attire, ou quoi ? »

J'ai vraiment dû faire un effort pour me dire que tout ça était la faute de MacKenzie, pas celle de Chloë et Zoey.

MOI, CHLOË ET ZOEY DANS « LE BALLET DES ZOMBIES »

En fait, je n'aurais pas cru que Chloë et Zoey étaient d'aussi bonnes danseuses. Et notre prof de gym avait l'air très impressionnée, elle aussi. Après notre démonstration, elle nous a regardées, bouche bée, en tapant très vite avec la pointe de son stylo-plume sur son carnet.
Puis elle nous a demandé de venir la voir après le cours.
Nous étions vraiment très nerveuses en allant lui parler, parce que nous ne savions pas trop à quoi nous attendre.
Chloë et Zoey croyaient qu'elle allait nous demander de rejoindre le groupe de danse de l'école. J'ai espéré très fort qu'elles auraient raison, parce que faire partie du club de danse signifie automatiquement faire partie du CCC.

Notre prof a souri avant de déclarer : « Les filles, si nous étions dans un cours de danse contemporaine, je vous aurais sûrement mis un A+. »

En entendant ça, j'étais quasiment certaine qu'elle noterait bien notre enchaînement, même s'il était tout à fait improvisé et que la musique n'était pas la bonne.

Mais le sourire de notre prof s'est brusquement évanoui.

« Vous étiez censées faire une démonstration de danse classique, mais vous en étiez très loin. La meilleure note que je puisse vous donner est un D. Je suis vraiment désolée. »

OH, NON ! ELLE N'A PAS FAIT ÇA ?!!
Moi, Chloë et Zoey, on était EFFONDRÉES
(LITTÉRALEMENT) !

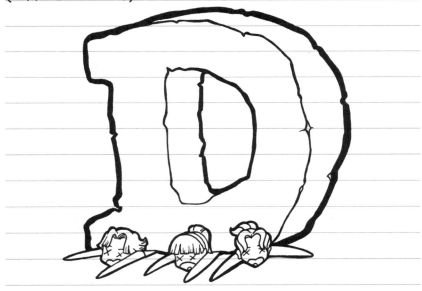

Alors j'ai crié à ma prof : « Vous êtes FOLLE ou quoi ?
Comment pouvez-vous nous donner une note pareille ?
Est-ce que vous vous rendez compte à quel point ces pas de danse sont difficiles ? C'était bien plus dur que ça en avait l'air, croyez-moi ! Vous n'avez qu'à essayer, vous, de faire le moonwalk comme un zombie ! »

Mais j'ai dit tout ça dans ma tête, et personne n'a rien entendu sauf moi.

Et tu sais quoi? Notre prof a osé nous demander d'aller prendre une douche, comme si ça avait quelque chose à voir avec la danse de ballet?! N'importe quoi!

J'étais un peu fâchée après Chloë et Zoey, parce que si elles n'avaient pas perdu leur temps à se plaindre au sujet de leurs tatouages, nous aurions pu préparer un enchaînement correct avec la musique qui allait bien... Nous aurions pu avoir au moins un C, mais nooooon!

À l'heure du déjeuner, les choses ne se sont pas améliorées. Au contraire : Chloë et Zoey ont COMPLÈTEMENT CRISÉ!

Elles ont imaginé un plan pour fuguer et aller vivre dans les tunnels secrets situés sous la Grande Bibliothèque de New York!

Le plus fou, c'est qu'elles ont prévu de partir dès vendredi prochain, et de « glander » pendant 7 mois entiers, jusqu'au coup d'envoi de la Semaine nationale des bibliothèques, prévu en avril.

Elles s'imaginent qu'en arrivant à l'avance, elles pourront entrer gratuitement et être parmi les premières pour demander des autographes.

Chloë a dit que le fait de vivre à la bibliothèque serait une expérience « euphorisante », parce qu'elles pourraient lire tous les livres qu'elles voudraient, vingt-quatre heures sur vingt-quatre, sans avoir à les emprunter ni à les ranger dans les rayonnages.

Zoey a ajouté qu'elles vivraient de Pepsi Light et de chips, qu'elles iraient piquer la nuit à la cafétéria de la bibliothèque!

Je ne peux pas croire que Chloë et Zoey soient vraiment prêtes à faire quelque chose d'aussi dingue, dangereux et interdit!

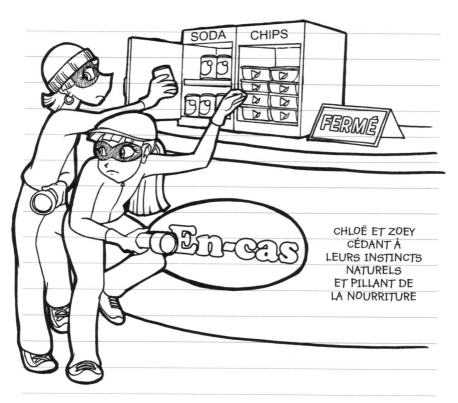

SODA CHIPS

FERMÉ

CHLOË ET ZOEY
CÉDANT À
LEURS INSTINCTS
NATURELS
ET PILLANT DE
LA NOURRITURE

En tout cas, je suis bien décidée à faire tout ce qui est en mon pouvoir pour les en empêcher!

ET POURQUOI?!

Parce que Chloë et Zoey sont mes meilleures amies dans ce collège!

Mes SEULES amies, aussi. Mais ça, c'est autre chose...

Malheureusement, il n'y a que DEUX POSSIBILITÉS :

1. Les balancer à leurs parents et risquer de perdre leur amitié à jamais.

OU

2. Trouver un moyen pour leur procurer à toutes les deux des tatouages pour la Semaine nationale des bibliothèques ASAP (ce qui, pour les nuls, veut dire « LE PLUS VITE POSSIBLE » en anglais) !!

Je n'ai presque pas dormi la nuit dernière! Je n'arrêtais pas de faire de terribles cauchemars, avec Chloë et Zoey dans les tunnels secrets de la Grande Bibliothèque de New York City.

Dans l'un de mes rêves, elles dînaient avec quelques voisins.

Dans mon pire cauchemar, je me mariais avec Brandon
Roberts, et Chloë et Zoey étaient mes demoiselles d'honneur.
Mais elles arrivaient avec quelques invités-surprises!

Je me suis réveillée, et j'ai crié jusqu'à ce que je comprenne
qu'il ne s'agissait que d'un très mauvais rêve!

Ce matin, au petit déjeuner, Brianna m'a vraiment énervée.

J'étais tranquillement assise, en train de déguster
mes céréales et de faire les jeux, au dos de la boîte,
et je me demandais comment m'y prendre avec Chloë et Zoey.

Elles avaient prévu de partir de chez leurs parents
dans moins de vingt-quatre heures.

Tout en mangeant ses céréales, Brianna dessinait un visage
sur sa main avec un stylo plume. Elle a dit qu'elle baptiserait
ce personnage Plumette, parce qu'il avait « naqui d'un stylo
plume ».

LA MAIN
DE BRIANNA

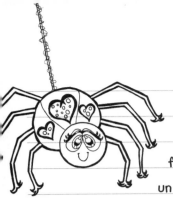

Alors que j'essayais de me concentrer sur mes problèmes personnels, miss Plumette m'a demandé de la regarder faire « la danse de l'araignée », sur un remix du dernier tube de Rihanna.

Apparemment, l'araignée Gipsy est montée à la gouttière, mais elle est tombée par terre à cause de la pluie et aussi parce qu'elle avait oublié son parapluie, oui oui oui...

Toute cette histoire m'ennuyait à mourir. Il faut dire que les comptines pour *bébés*, c'est plus vraiment mon truc !

En tout cas, j'ai demandé à Brianna et à Plumette de me laisser tranquille, parce que j'étais d'une

HUMEUR DE CHIEN.

Et cette horrible chanson de miss Plumette qui ressemble au cri d'une *baleine à bosse* en train de mettre bas n'arrangeait rien.

Elle a dû être très vexée que je critique si ouvertement ses talents de chanteuse car elle m'a pris le bras et l'a serré très fort.

Alors j'ai attrapé miss Plumette et j'ai tenté de la noyer
dans mon bol de céréales.

Tu veux du lait ?!

Brianna a commencé à crier : « Arrête ! Miss Plumette ne sait
pas nager ! Lâche-la ! Tu lui écrabouilles le visage ! »

Mais je ne l'ai pas lâchée jusqu'à ce que ma mère entre
dans la cuisine.

« Qu'est-ce qui te prend de plonger la main de ta sœur
dans ton bol de céréales ! Lâche-la immédiatement ! »

Comme je n'avais pas le choix – et uniquement pour
cette raison –, j'ai libéré miss Plumette.

Brianna m'a tiré la langue. « Miss Plumette dit qu'elle
ne t'invitera pas à sa fête d'anniversaire ! Na na na nanère ! »

Je lui ai tiré la langue à mon tour et j'ai lancé : « Je suis déjà
invitée à une fête d'anniversaire. ET TOC ! » Merci, MacKenzie !

Bref, je crois que j'ai donné une bonne leçon à miss Plumette.
Je ne crois pas qu'elle osera interrompre mon petit déjeuner
de sitôt (RICTUS DIABOLIQUE).

Comme miss Plumette a disséminé ses microbes partout
dans mon bol de céréales, je l'ai versé dans l'évier et
je me suis précipitée dans ma chambre, à l'étage.

Je me suis assise sur mon lit et j'ai fixé le mur, tandis
qu'une foule de pensées se bousculaient dans ma tête.

Le problème de Chloë et Zoey semblait insoluble,
je ne pouvais rien faire pour elles.

Et, comme si ça ne suffisait pas, miss Plumette était encore
dans la cuisine et chantait à tue-tête, si fort et si faux
que j'ai bien cru que mes tympans allaient exploser. ☹

J'avais envie de prendre mon feutre effaçable préféré,

le non toxique au gel violet, et de dessiner une grosse

fermeture Éclair sur la bouche de

ma sœur pour qu'elle la ferme.

Mais j'étais presque sûre que

ma mère hurlerait si je faisais

une chose pareille.

Le plus souvent, je me sers

de ce feutre porte-bonheur

pour écrire mon journal.

Mais ces derniers temps,

on ne peut pas dire qu'il

ait vraiment joué son rôle.

MON FEUTRE
PORTE-BONHEUR

J'étais en train de faire tourner

le feutre entre mes doigts quand,

soudain, m'est venue une idée complètement dingue!

«Waouh, ça pourrait marcher!» J'ai griffonné vite fait

deux petits mots et j'ai couru au collège pour arriver

un quart d'heure en avance et les coller sur les casiers

de Chloë et Zoey.

Rendez-vous dans
le local de service
avant le premier cours
C'est très important !!

nikki ☺

Je les ai attendues cinq longues minutes. Je commençais
à me dire qu'elles n'allaient pas venir, mais elles ont fini
par arriver.

« J'espère que tu ne nous as pas fait venir ici pour nous
convaincre de changer d'avis à propos de notre fugue »,
a commencé Chloë d'un air très sérieux.

« Oui, parce qu'on va vraiment le faire ! » a ajouté Zoey
en baissant les yeux.

Je n'ai pas répondu. J'étais si triste que j'ai cru que j'allais pleurer.

« Euh... Je vous ai demandé de venir pour vous parler d'un cadeau que je voulais vous donner lundi. Mais comme vous partez demain... »

Bien sûr, Chloë et Zoey mouraient d'envie de savoir ce que c'était et elles m'ont suppliée de le leur dire.

« Eh bien, vous l'ignorez peut-être, mais je suis une artiste assez douée. Et n'allez pas croire que je me la pète ou quoi. Comme vous êtes mes Meilleures Amies pour la Vie, j'ai décidé de vous offrir à chacune un tatouage. Temporaire. En l'honneur de la Semaine nationale des bibliothèques ! »

Chloë et Zoey ont commencé par me regarder comme si elles n'arrivaient pas à croire à ce que je venais de leur raconter.

Puis elles se sont mises à crier, à sauter et à m'embrasser.

MOI, CHLOË ET ZOEY
EN PLEINE EMBRASSADE

«Vous choisissez celui que vous voulez, j'ai promis,
comme ça je vous le dessinerai pendant le week-end
et on pourra le faire lundi, pendant la pause déjeuner.
Mais vous devez me promettre une chose... »

«Tout ce que tu voudras! jura Zoey. Laisse-moi deviner!
Il faut qu'on abandonne nos plans de fugue et de squatt
de la Grande Bibliothèque de New York City? »

« Dans ce cas, je déclare officiellement l'annulation de ce plan ! » annonça Chloë, en écartant les mains comme pour signifier que le spectacle était terminé.

Je me suis retenue de sourire en prenant un air très sérieux : « En fait, ce n'est pas ce que je voulais dire... Je veux que vous me promettiez de ne pas amener de RATS à mon mariage ! »

« Hein ? » Elles m'ont regardée toutes les deux comme si j'étais folle.

J'ai ricané : « Faites pas attention ! C'est une longue histoire. »

VENDREDI 27 SEPTEMBRE

Avant le cours de SVT, j'ai remarqué que Brandon m'observait, mais je me suis dit que je me faisais des idées. Ces derniers temps, j'ai l'impression qu'à chaque fois que JE le regarde, IL me regarde aussi.

Puis nous détournons tous les deux la tête, comme si nous n'étions pas en train de nous regarder, en réalité.

Aujourd'hui, il m'a souri et il a dit : « Alors, quelle division tu préfères ? La mitose ou la méiose ? »

Je lui ai rendu son sourire en haussant les épaules parce qu'en fait, je n'ai aucune préférence : je déteste les deux ! Je n'ai rien dit, de crainte de passer pour plus débile encore que ce qu'il croit...

Mais la raison principale de mon silence était que je souffrais d'une attaque sévère de SGH, ou Syndrome du Grand Huit. Des études montrent qu'il touche le plus souvent les filles entre 8 et 16 ans.

Les symptômes sont difficiles à décrire, mais quand Brandon s'adresse à moi, par exemple, c'est comme si je faisais une chute de 300 mètres à 130 Km/h. Appeler ça « avoir des papillons dans le ventre » est une erreur de diagnostic très courante – et dangereuse.

Tout à coup, et sans prévenir, je suis saisie d'une envie de lever les bras au ciel (comme si je me fichais de tout) et de hurler :

YAHOOOOOO !!!

MOI SUR LE GRAND HUIT DE L'AMOUR !!! J'adore détester cette sensation !! ☺

Le reste de la journée m'a réservé une autre surprise, plus AGRÉABLE encore. Alors que je travaillais à la bibliothèque, Brandon est venu rendre un livre intitulé *Quel photographe es-tu ?* J'étais occupée à dessiner les ébauches des tatouages de Chloë et Zoey quand il s'est penché par-dessus le comptoir et a jeté un œil sur mon carnet.

« Mais c'est super, ce que tu fais ! Je ne savais pas que tu étais une artiste ! »

J'ai regardé autour de moi pour voir à qui il parlait. Puis j'ai halluciné quand j'ai compris qu'il s'adressait à MOI ! Soudain, j'ai eu du mal à RESPIRER.

J'ai balbutié bêtement : « Merci, ce n'est rien. Je fais très souvent des colos artistiques pendant les vacances. L'été dernier, j'ai récolté genre 1 million de piqûres de moustiques, et je peux te dire que ça pique ! »

« Eh bien, en tout cas, on peut dire que tu as du talent ! »

Comme d'habitude, quand il sourit, Brandon avait une mèche qui lui tombait sur les yeux ; il s'est penché davantage encore vers mes croquis, et j'ai cru que j'allais MOURIR !

Il sentait l'assouplissant à la lavande, le déodorant Axe et... la réglisse ?!

Je ne pouvais pas m'empêcher de rougir, et je me sentais incapable de continuer à dessiner avec son regard posé sur moi. Une nouvelle fois, j'ai senti le SGH s'emparer de moi... YAHOOOOOO !!!

Soudain, une étincelle s'est mise à briller dans les yeux de Brandon.

« Au fait, tu vas t'inscrire au concours d'art ? Je vais couvrir l'événement pour le journal du collège. »

« Oui, j'y ai pensé. Mais tout le monde dit que les dessins de mode de MacKenzie sont super et que c'est elle qui va gagner cette année. Alors je ne crois pas que... »

« MacKenzie ? Tu rigoles ? Le moindre de tes croquis est plus intéressant que sa meilleure œuvre. Tu le sais, n'est-ce pas ? »

Je n'arrivais pas à croire que Brandon ait dit ça de MacKenzie ! C'était si méchant, si drôle, si... VRAI !

Nous avons éclaté de rire. J'ignorais qu'il avait un humour aussi... DÉCALÉ.

Puis Chloë et Zoey se sont rapprochées du comptoir, les bras chargés de livres à remettre dans les rayonnages.

Dès qu'elles nous ont vus, elles en sont restées bouche bée.

Elles m'ont regardée, puis ont regardé Brandon, puis m'ont regardée de nouveau. Puis Brandon. Puis moi. Et ainsi de suite, trois fois...

Ça a duré UNE ÉTERNITÉ !

Elles nous dévisageaient comme des animaux dans un zoo...

C'était très gênant !

Le sourire de Brandon a un peu faibli, mais il a continué à me parler normalement, en prenant un air nonchalant, comme si de rien n'était.

« EH ? REGARDEZ CES DEUX-LÀ !
C'EST LA SAISON DES AMOURS, OU QUOI ? »

« Salut Chloë, salut Zoey ! » a-t-il lancé.

Mais elles étaient tellement sous le choc qu'elles ne lui ont même pas répondu.

« Bon, je retourne en cours. À plus tard, Nikki... »

Et il a disparu dans le couloir...

Chloë et Zoey ont fait toute une histoire de cette conversation
et elles ont commencé à vouloir me faire avouer que j'aimais
Brandon en secret.
Après leur avoir fait jurer de ne rien dire à personne,
je leur ai raconté que Brandon m'avait aidée, à la cafétéria,
le jour où Jessica m'avait fait un croche-pied.

Puis j'ai attrapé mon sac à dos et j'ai ouvert la petite pochette
extérieure pour leur montrer le mouchoir.

Elles m'ont d'abord regardée d'un air étonné, puis elles m'ont
chambrée et ont ricané comme deux bébés de maternelle.
« Oh les AMOUREUX-EUX,
Oh les AMOUREUX-EUX ! »

Je leur ai demandé de se taire avant que quelqu'un
les entende et que la nouvelle se répande dans le collège
comme une traînée de poudre.

Chloë m'a suggéré de garder le mouchoir toute la vie, au cas où nous nous retrouverions, Brandon et moi, sur une île lointaine et romantique, dans très longtemps... Elle a dit qu'il pourrait m'arriver ce qui arrive dans les films pour ados.

LE MOUCHOIR DE MON MEILLEUR AMI
(NUITS BLANCHES À SAN DIEGO)
Réalisé par Chloë Christina Garcia

BRANDON : À l'autre bout de la pièce, je t'ai remarquée, et j'ai été immédiatement, irrépressiblement, attiré par ton intelligence et ta beauté. C'était comme si je t'avais toujours connue. Peut-être dans un autre lieu... un autre temps... une autre vie!

MOI : Atchoum! C'est la saison des allergies! Je t'en prie, accepte ce modeste et très précieux présent de mon bouleversant et mystérieux passé. Et fais-en... ce que tu veux!

MOI : Quel puissant éternuement !
Parfaitement amorti par ce délicat
mouchoir, souvenir d'un amour
perdu... et devenu accessoire
jetable baigné des larmes
de mes rêves brisés !

BRANDON : Ciel !
Mes yeux doivent me trahir !
Je reconnaîtrais TON mouchoir
même dans les plus obscures
des ténèbres ! Joie et passion
me submergent !

BRANDON : Est-ce vraiment
toi ? Ma chère Nikki ? J'ai
fini par trouver le véritable
amour. Veux-tu m'épouser ?

FIN

J'ai dit à Chloë que son histoire était charmante et très romantique. Mais si le mouchoir était vraiment dégoulinant de morve et que Brandon me demandait en mariage, j'aurais probablement écrit une version très différente de la fin de l'histoire !

MOI : Brandon, je trouve que tout va trop vite. Laisse-moi d'abord me débarrasser de ce mouchoir morveux... Beurk ! Ensuite, que dirais-tu d'une sortie au cinéma, suivie d'une bonne pizza ?

FIN

Zoey a dit que j'avais bien fait de réécrire le happy end
de l'histoire de Chloë, parce que la morve et les postillons
figurent parmi les facteurs de transmission des maladies
les plus répandus.

Mais Chloë n'était pas d'accord, et pensait que nous n'avions
rien compris. Le mouchoir, plein de germes ou non, devait
faire l'objet d'un véritable culte parce qu'il était le symbole
de l'amour que Brandon me portait.
En lisant *Twilight*, elle avait compris que l'amour interdit,
l'obsession et le sacrifice pouvaient se révéler complexes
à gérer. Exactement comme les nez qui coulent.

Là, j'ai bien été obligée de reconnaître qu'elle n'avait
pas tort.

Ensuite, Zoey a dit qu'il ne fallait jamais oublier que
les garçons viennent de Mars et les filles de Vénus,
donc qu'ils pensent et communiquent de manière
très différente, comme elle l'avait lu dans un livre sur
les relations amoureuses. Ça m'a vraiment surprise,
parce que j'étais persuadée que la Terre était la seule
planète habitée de l'Univers.

Je suis très contente que Chloë et Zoey sachent autant de choses sur les mecs, l'amour, les relations, ce genre de trucs.

Parce que moi, je n'y connais RIEN.

BOUH!

Ce qui suit sera le plus LONG texte de mon journal !
J'ai un mal de crâne insupportable et c'est la faute de Brianna.
Pourquoi, pourquoi, mais pourquoi ne suis-je pas restée
fille UNIQUE ?

En fait, voici ce qui s'est passé : Maman était censée
amener Brianna au cinéma, ce matin. Mais elle devait
aussi aller acheter un cadeau pour une fête de naissance
à laquelle elle doit participer ce soir.

Alors, elle m'a proposé 10 $ pour que j'accompagne Brianna
au cinéma à sa place. Comme j'étais fauchée, j'ai accepté
en me disant qu'au pire je dormirais pendant le film. Comme
ça, j'aurais gagné 10 $ pour une sieste de 90 minutes.

Le film s'intitulait *La princesse Dragée sauve l'île du bébé
licorne 3*. Il y avait au moins une centaine de petites filles
là-dedans, dont la moitié déguisées en princesses et
en licornes, et elles ont hurlé pendant toute la séance !

J'aurais dû demander 50 $ à ma mère, parce que ce spectacle était tellement chou, tellement mignon, tellement dégoulinant que ça m'a donné la nausée!

Brianna, elle, a trouvé qu'il faisait super peur parce qu'il y avait une souris. Et elle a une peur panique qu'une souris vienne lui arracher toutes ses dents pour fabriquer des dentiers pour les personnes âgées. On peut dire qu'elle souffre de « musophobie ».

En tout cas, elle m'a presque rendue DINGUE parce qu'à chaque fois que la petite souris apparaissait à l'écran, elle agrippait mon bras, et cognait dans mes pop-corn!

J'ai dû renverser au moins trois pots entiers sur la gentille dame assise à côté de moi.

Quand cette gentille dame s'est mise à me regarder comme si elle allait m'étrangler, j'ai décidé qu'il serait plus prudent de grignoter des M&M's.

J'étais TROP contente quand le film s'est enfin terminé.

Brianna et moi, on attendait Maman devant l'entrée principale quand Papa a débarqué au volant de sa camionnette marquée « Maxwell, désinsectisation ». Et là, j'ai eu un mauvais pressentiment. C'est généralement ce que ressentent les gens devant cet horrible cafard posé sur le toit de la camionnette...

Au fait, ce cafard s'appelle Max, en l'honneur de Brianna, qui a déclaré un jour : « Si j'avais un chiot, je l'appellerais Max. »

LA HONTE !!! Je me suis dit que si quelqu'un de mon collège me voyait monter dans la camionnette de Papa, ma vie serait fichue. J'ai scruté la foule à la recherche de jeunes de mon âge, mais il n'y avait que des enfants de 3 à 6 ans.

« Je viens de recevoir un appel d'urgence, a expliqué Papa avec un clin d'œil, alors vous allez me tenir compagnie. »

« Euh... merci, Papa, mais j'ai une tonne de devoirs à faire, alors si tu pouvais me déposer à la maison... S'IL TE PLAÎT, PAPA ! » J'ai fait tout mon possible pour rester calme.

Mon père a consulté sa montre et froncé les sourcils :
« Désolé, mais je n'ai pas le temps de passer à la maison. La cliente est affolée et elle a accepté de payer un supplément pour une intervention d'urgence. Elle doit donner une grande fête ce soir et dit que sa maison grouille de cafards, et qu'il y en a aussi dehors... Ces bestioles sont apparues par centaines ce matin, venues de nulle part... »

« BEURK », a lâché Brianna en fronçant le nez.

« Ça m'a tout l'air d'une infestation de punaises de l'érable négondo, a poursuivi Papa. Heureusement que cette dame n'organise pas une fête de naissance, comme celle à laquelle votre maman doit assister ce soir ! »

Je me suis installée en boudant sur le siège avant
de la camionnette et je me suis baissée le plus possible,
pour que personne ne me voie.

À chaque feu rouge, les gens nous montraient du doigt
en riant. Pas à cause de moi, mais de notre cafard.

Bizarrement, Brianna était persuadée que les gens voulaient
tout simplement se montrer aimables. Alors elle a commencé
à sourire, à faire coucou, à envoyer des baisers comme
si elle venait d'être élue miss Amérique !

Papa, lui, était habitué à ces regards.
Il les a ignorés et a continué de fredonner son CD
de *La Fièvre du samedi soir*.
Heureusement, j'ai vu un sac plastique qui dépassait
de sous mon siège.

Malgré l'avertissement - À TENIR HORS DE PORTÉE
DES JEUNES ENFANTS - RISQUE D'ÉTOUFFEMENT ! -,
j'ai percé deux trous et je me le suis glissé sur la tête.

Primo, je NE SUIS PAS un jeune enfant.

Et deuxio, je préfère une mort lente et douloureuse par suffocation que d'être vue à bord d'une « cafarmobile » !

Il faut le dire : tous les trois, nous devions avoir l'air d'une bande de fous sur roulettes !

J'étais super GÊNÉE !

Je me suis demandé si je risquais d'être grièvement blessée si je sautais d'un véhicule roulant à 50 km/h. En supposant que je m'en sorte vivante, je pourrais au moins rentrer à la maison à pied et mettre fin à cette humiliation !

Dix minutes plus tard, nous nous sommes engagés
dans une longue allée qui menait à une immense maison.
Une belle maison. Dommage qu'elle soit infestée de cafards!

Brianna l'a regardée, émerveillée. « Papa, je peux entrer
avec toi? S'il te plaiiiiit... »

« Désolé, ma puce, mais il va falloir que tu attendes ici
avec ta sœur, pour surveiller Max. Personne ne doit le voler,
compris? »

Comme si QUELQU'UN pouvait avoir envie de voler MAX!?

Deux insectes noirs et brillants de plus de 1 cm ont atterri
sur le pare-brise.

« C'est bien ça! a lancé Papa après les avoir regardés
avec attention. Punaises de l'érable négondo. Affreuses,
mais parfaitement inoffensives. Il me faut 20 minutes
pour vaporiser toutes les pièces. Si vous avez besoin
de quelque chose, venez me voir. »

Papa a déchargé son matériel devant la porte de la maison. Avant qu'il ait eu le temps de sonner, une dame très chic a ouvert. Elle avait l'air complètement affolée, et l'a fait entrer.

Brianna a commencé à gémir : « Je veux aller avec Papa ! »

« NON ! ai-je répondu d'un ton ferme. Tu dois rester ici pour surveiller Max. Tu te souviens ? »

Brianna m'a regardée en fronçant le nez.

« C'est toi qui surveilles Max. Moi, je dois aller aux toilettes ! »

« Brianna, Papa n'en a pas pour longtemps. Tu ne peux pas te retenir un peu ? »

« Non !! Il faut que j'y aille TOUT DE SUITE ! »

Super ! Tout ça pour 10 malheureux dollars...

J'ai fini par céder. « Très bien. Mais tu ne touches à rien dans la maison. Tu vas aux toilettes et tu ressors immédiatement, d'accord ? »

« Mais je veux aller voir Papa aussi ! »

« Non ! Tu vas aux toilettes et on retourne
dans la camionnette... »

Avant que j'aie pu finir ma phrase, Brianna avait ouvert
la portière et s'était précipitée jusqu'au perron.

Le temps que je la rattrape, elle avait déjà appuyé
sur la sonnette. « Ding dong ! Ding dong ! Ding dong ! »

La dame a ouvert. Elle avait toujours l'air aussi affolée
et nous a regardées avec surprise.

J'ai balbutié : « Euh... Excusez-moi de vous déranger, mais
nous attendions notre père dehors, dans la camionnette et... »

« Madame, j'ai envie de faire pipiiiiii ! » coupa Brianna.

Puis ma sœur a commencé à se tortiller dans tous les sens
et à faire des grimaces pour accentuer l'effet dramatique.

La dame a regardé Brianna, puis moi, puis de nouveau Brianna.
Ses fines lèvres rouges se sont étirées en un léger sourire.

« Je vois... Vous êtes les filles de... l'exterminateur. Entre,
ma chérie, les toilettes sont par ici. Suis-moi... »

L'intérieur de la maison semblait tout droit sorti
des magazines de déco chics, genre *Maison et jardin*,
que lit ma mère. Dans le couloir, la dame s'est arrêtée.

« Oh, attendez ! Votre père a déjà vaporisé les toilettes
du rez-de-chaussée, alors vous allez devoir utiliser celles
de l'étage. Il y a une salle de bains par chambre. J'aimerais
bien vous accompagner moi-même, mais j'attends un appel
de mon traiteur et... »

Le téléphone a sonné, et la dame nous a plantées là. Avec
un sourire de satisfaction, Brianna s'est avancée vers l'immense
escalier qui nous faisait face.

En entrant dans la première chambre à droite,
elle s'est écriée : « Que c'est beau ! »

La pièce était décorée dans les tons roses et la moquette
était si douce qu'on aurait pu dormir dessus. L'ordinateur
portable et la télé grand écran étaient à mourir. Rien que
dans le dressing, j'aurais pu faire rentrer ma chambre
tout entière. Mais pour moi, tout ça faisait un peu trop
bonbonnière. Ce n'est pas que j'étais jalouse, ni rien. Non,
je ne suis pas gamine à ce point, quand même ?!

MOI ET BRIANNA EN ADMIRATION TOTALE DEVANT LA MAGNIFIQUE CHAMBRE!!! (QUE - SOIT DIT EN PASSANT - J'AI MIS UNE ÉTERNITÉ À DESSINER!!!)

« Tu crois que je peux sauter sur ce lit de princesse ? » a demandé Brianna.

J'ai aboyé : « Non ! Descends tout de suite ! »

J'ai dû fournir un énorme effort de volonté pour ne pas fouiller partout. Je me suis demandé quelle école fréquentait cette fille et si nous pourrions être amies, elle et moi. Je parie que sa vie est parfaite. Pas comme la mienne !

Brianna s'est glissée dans la salle de bains attenante et a fermé le verrou. « Waouh !! Pour mon anniversaire, je veux une salle de bains comme ça ! »

J'ai entendu la chasse d'eau, mais au bout de trois minutes, elle n'était toujours pas sortie.

Alors j'ai crié à travers la porte : « Brianna, dépêche-toi ! »

« Attends, je me lave les mains avec du savon à la fraise ! Après, je vais me mettre un peu de ce parfum au cookie qui sent super bon. »

« Viens, il faut revenir à la camionnette, maintenant. »

« Attends ! J'ai presque fini ! »

Soudain, j'ai entendu une voix tristement familière.

« Mais, Maman, je ne PEUX pas inviter mes copains avec ces horribles bestioles qui rampent partout ! On aurait dû fêter mon anniversaire au club, comme je le voulais ; c'est TA faute ! »

J'ai failli faire dans ma culotte. Hollister MacKenzie!! 😦

Aïe! C'est aujourd'hui que devait avoir lieu la fête à laquelle je n'étais PAS invitée.

Quel cauchemar! J'étais coincée dans la chambre de MacKenzie, ma sœur enfermée dans SA salle de bains, et mon père en train de désinsectiser SA maison. Et comme si tout ça ne suffisait pas, notre camionnette – et l'énorme cafard posé dessus – était garée dans SON allée, avec MON nom de famille placardé sur le côté!

J'aurais voulu creuser un grand trou dans l'épaisse moquette rose, m'y terrer, et mourir.
J'ai tambouriné à la porte.

« ALLEZ, OUVRE, BRIANNA! »

BAM! BAM!

MOI →
(EN TRAIN
DE PÉTER
LES PLOMBS)

« J'ai pas fini. Laisse-moi tranquille ! »

« Ça fait une heure que tu es enfermée là-dedans !
Ouvre, maintenant ! »

« Dis s'il te plaît. »

« S'il te plaît. »

« Dis s'il te plaît, ma petite sœur chérie. »

« D'accord. Ouvre la porte, s'il te plaît, ma petite sœur
chérie... »

« NON ! J'ai pas encore fini ! »

« Maman ! Cette fête va être une véritable catastrophe !
Qu'est-ce qu'ils vont dire de moi ? Il faut absolument annuler ! »

J'entendais MacKenzie crier de plus en plus fort.
Elle montait l'escalier !

J'ai murmuré à travers la porte : « Brianna ? Ouvre vite !
S'il te plaîiiiit ! C'est une urgence ! »

«Attends! Je me parfume avec cette super eau de toilette au cookie. Euh... c'est quoi, l'urgence?»

Maintenant, MacKenzie était dans le couloir.
«Maman, j'appelle Jessica. Elle me croira jamais quand je lui raconterai ce qui m'arrive...»

J'avais exactement trois secondes pour convaincre Brianna d'ouvrir la porte de la salle de bains.

«Brianna! C'est la PETITE SOURIS! Elle arrive, et il faut nous enfuir. MAINTENANT!!

J'ai entendu le verrou et Brianna a ouvert grand la porte.

Elle avait l'air encore plus effrayée qu'au cinéma, quand on est allées voir *La Princesse Dragée*.

«Tu as bien dit la p-p-p-p-etite souris?!»

«Oui! Viens, cachons-nous! Vite!»

Brianna a commencé à paniquer et à pleurer.

« Où elle est ? J'ai peur ! Je veux Papaaaa ! »

« Cachons-nous derrière le rideau de douche. Si on ne fait pas de bruit, elle ne nous trouvera jamais. »

Brianna s'est tue immédiatement, mais ses yeux étaient grands comme des soucoupes.

Elle m'a fait de la peine, franchement.

Nous nous sommes réfugiées dans la baignoire, accroupies derrière le rideau de douche.

J'entendais MacKenzie arpenter sa chambre en hurlant dans son portable.

«Jess, impossible de faire cette fête ce soir! Notre maison est pleine de nuisibles! Quoi? Comment veux-tu que je sache? Eh bien, c'est gros, noir, comme des cafards, quoi! Quelqu'un est en train de traiter, et maintenant toute la maison PUE! Ça PUE, Jess! Comment veux-tu que j'organise une fête dans une maison qui PUE!»

«Nikki, j'ai peur. Je veux voir Papa. Tout de suite!»

«J'ai supplié Maman d'organiser ma fête d'anniversaire au club! La mère de Lindsey a dit oui, elle. Mais la mienne ne veut rien céder. À chaque fois que je lui demande quelque chose, ces temps-ci, c'est comme si j'essayais de lui arracher une dent!»

Pourquoi fallait-il qu'elle prononce ce mot-là?
Brianna a totalement pété les plombs et a commencé à enjamber la baignoire.

«Oh non! T'as entendu? Elle a dit qu'elle allait m'arracher les dents! Je veux rentrer à la maison!!!»

« Brianna !! Attends ! » Je l'ai attrapée et j'ai essayé
de la coincer. Finalement, elle s'est calmée et je l'ai sentie
toute molle entre mes bras.

Mais ensuite, la petite peste m'a mordue ! Jusqu'au SANG !
Je l'ai lâchée en laissant échapper un cri de douleur, comme
un animal blessé. Non, en réalité, j'ai fait tout ça en silence,
dans ma tête, et personne d'autre que moi n'a entendu.

Brianna s'est précipitée vers la porte avant de disparaître
dans la chambre de MacKenzie !

J'ai retenu mon souffle. Je n'arrivais pas à croire
que ça m'arrivait à MOI !

Ensuite, je me suis dit que c'était peut-être un cauchemar.
Comme dans ces rêves étranges et inquiétants que j'avais
faits récemment et où j'avais vu Chloë et Zoey. Si je pouvais
me réveiller, tout disparaîtrait.

Alors j'ai fermé les yeux et je me suis pincée très fort.

Mais quand j'ai rouvert les yeux, je me trouvais toujours dans
la baignoire de MacKenzie, avec l'empreinte (devenue violette)

des dents de Brianna dans le bras, à côté de la tache rouge que je venais de me faire en me pinçant.

J'aurais tellement voulu être morte !

Soudain, j'ai eu une idée : si je tournais le robinet et restais pendant une heure sous la douche glacée, je mourrais peut-être de pneumonie. Mais ça prendrait quelques jours et il fallait que je meure sur-le-champ !

« OMG ! Jessica, il y a une gamine dans ma chambre ! Mais j'en sais rien, moi ! Elle a surgi de nulle part. J'ai dit un million de fois à Amanda que ma chambre était zone interdite pour elle et ses enquiquineuses de copines. Ne quitte pas... »

« Maman... !! Amanda et ses copines sont encore en train de jouer dans ma chambre ! Fais quelque chose, s'il te plaît ! »

« Je suis là, Jess. Si ces sales gamines touchent encore à mon maquillage, je le jure, je les étrang.... »

« Ne me touche pas, toi, méchante souris ! » hurla soudain Brianna à pleins poumons.

Cette fois-ci, j'ai vraiment cru que j'allais m'évanouir.

« Attends une minute, Jess... »

« Une souris, moi ? Qu'est-ce que tu racontes ? Et qu'est-ce que tu fais dans ma chambre ? Où est Amanda ? »

« Tu n'auras pas mes dents ! Jamais ! » hurla encore Brianna.

« MAMAN ! AMANDA ! Reste en ligne, Jess, le temps que je me débarrasse de cette gamine. Après, j'irai tuer ma sœur ! Sors d'ici, espèce de... »

« ARRÊTE ! Lâche-moi ! J'aime mes dents ! »

Il y eut un bruit sourd, et MacKenzie poussa un cri perçant.

« MAMAN ! J'ai été attaquée par une lilliputienne enragée ! OMG ! Je crois que j'ai un bleu ! Je ne pourrai pas porter mes tongs Jimmy Choo ! »

« Tu es toujours là, Jess? Je ne peux pas aller à ma fête comme ça. J'ai un bleu de la taille d'un CD sur la jambe. Je t'assure... Attends... »

J'ai entendu Hollister descendre l'escalier en sautillant, comme un vieux pirate unijambiste. Clic clac, clic clac, clic clac...

« MAMAN ! La semaine dernière, Amanda et ses copines m'ont mis du chewing-gum dans les cheveux et ont fait du coloriage avec mes rouges à lèvres ! Et maintenant il y en a une qui... »

Tandis que la voix de MacKenzie s'éloignait, j'ai bondi hors de la baignoire et attrapé Brianna, que j'ai jetée par-dessus mon épaule comme un sac de patates pourries.

Sans m'arrêter, j'ai dévalé les marches, traversé le vestibule et atteint la porte d'entrée.

J'ai déposé ma sœur sur le siège arrière de la camionnette et j'ai claqué la portière.

Mon père était en train de ranger son matériel dans le coffre.

« Ah, vous voilà, les filles ! Parfait, j'ai terminé. »

Au moment où Papa a démarré, je me suis tournée vers la maison, m'attendant à voir MacKenzie surgir et réclamer l'arrestation immédiate de Brianna pour lui avoir fait un bleu l'empêchant de porter ses Jimmy Choo.

Mais à ma grande surprise, Brianna est restée tranquillement assise dans son siège. Elle avait l'air contente d'elle.

« Papa, tu sais quoi ? Je suis allée aux toilettes et je me suis lavé les mains avec du savon à la fraise, et après j'ai mis du parfum au cookie et j'ai vu la petite souris avec des bigoudis dans les cheveux ! Elle discutait au téléphone et elle a dit qu'elle allait m'étrangler et m'arracher toutes les dents pour faire des dentiers pour les vieux. Quand elle m'a attrapée, je lui ai donné des coups de pied alors elle m'a lâchée et elle a commencé à crier pour appeler sa mère. Après, elle est retournée dans son pays pour aller à la fête de Jimmy Chou. Elle est pas gentille, cette souris, et puis elle ressemble pas vraiment à une souris ! Je préfère mille fois le père Noël et le lapin de Pâques ! »

Heureusement pour nous, Papa n'écoutait qu'à moitié.
« Ah oui, ma chérie ? C'était bien, alors, le film de la princesse Dragée ? »

Au feu suivant, j'ai remarqué, dans une voiture, une bande de garçons de mon âge qui nous ont montrés du doigt en rigolant.

Alors j'ai enfoncé le sac plastique sur ma tête et me suis
recroquevillée sur mon siège. J'en aurais craché de rage!

Tout ce cirque pour 10 malheureux dollars?

Je commence à stresser, car le concours d'art a lieu dans une semaine! J'ai décidé de présenter le tableau à la gouache que j'ai mis tout l'été à terminer. J'y ai passé plus de 130 heures...

Le seul problème, c'est que je l'ai offert à mes parents au printemps dernier, pour leur seizième anniversaire de mariage. Théoriquement, donc, il ne m'appartient plus. Mais j'avais le choix entre passer toute ma vie à économiser 109,21 $ pour les inviter dans un super-resto ou leur offrir mon œuvre.

Le restaurant n'était pas une bonne idée. J'ai vu dans une émission que les grands restaurants servent des trucs dégoûtants, comme des cuisses de grenouilles ou des escargots, et puis ils te donnent une toute petite portion d'un grand plat nappé de sauce au chocolat et décoré d'un brin de persil.

Alors, pour faire des économies, Brianna et moi avons décidé de préparer un dîner romantique pour Papa et Maman, un dîner aux chandelles! Nous avons pris une grande bassine et une épuisette, puis nous sommes allées au parc, pêcher des grenouilles dans la mare et ramasser des escargots.

LE CHEF NIKKI ET SON SECOND PRÉPARENT UN DÎNER FIN COMPOSÉ DE CUISSES DE GRENOUILLES ET D'ESCARGOTS

MOI EN TRAIN DE JOUER AVEC LA NOURRITURE

COUP DE FOUDRE

SAUCE →

ESCARGOT FUGUEUR

PERSIL

CUISSES DE GRENOUILLES FRAÎCHES

ESCARGOTS FRAIS

Préparer un dîner fin est plus difficile que je ne pensais.
Les grenouilles n'arrêtaient pas de sauter hors du saladier
et les escargots refusaient de rester dans les assiettes.
Malheureusement, à la télé, personne n'explique comment
maîtriser les animaux qu'on veut passer à la casserole.

On ne peut pas dire que Brianna m'ait beaucoup aidée !
Elle était censée être mon second, mais elle n'arrêtait pas
d'embrasser les grenouilles pour voir si elles allaient
se transformer en princes charmants. Je l'ai grondée
très fort : est-ce qu'elle savait où ces grenouilles avaient
posé leurs lèvres, AVANT ?

Comme prévu, Brianna a fait tout un cinéma au moment
de mettre les plats au four. Elle a dit que ces animaux étaient
ses amis et qu'on NE FAISAIT PAS CUIRE SES AMIS !
Je dois dire qu'elle n'avait pas tout à fait tort. Alors nous
avons décidé de ramener le dîner de Papa et Maman au parc.
On peut dire qu'ils ont vraiment eu de la chance – je parle
des animaux, pas de Papa et Maman.

Comme nos projets de dîner étaient tombés à l'eau, et que
je ne voulais pas entamer mes économies, j'ai collé
un joli nœud rouge sur mon aquarelle en guise de cadeau.

Il a beaucoup plu à Papa et Maman, qui ont dépensé beaucoup d'argent pour le faire encadrer. Ensuite, ils l'ont accroché dans notre salon, juste au-dessus du canapé.

Même s'il s'agit d'un tableau de famille d'une valeur sentimentale inestimable, Maman a accepté que je l'emprunte pour le présenter au concours d'art à condition que j'en prenne bien soin.

Je l'ai rassurée : « Ne t'inquiète pas, Maman ! Il n'arrivera rien. J'y ferai super attention, je te le promets ! »

Quand j'ai vu MacKenzie arriver au collège avec des béquilles, ce matin, je n'en croyais pas mes yeux. Elle a même collé dessus de petits autocollants en forme de cœurs pour aller avec son nouveau fourre-tout Gucci. Seule une fille aussi vaniteuse peut encore se soucier de son look, dans ces conditions! Elle ne porte pas de plâtre, juste un pansement Bob l'Éponge sous le genou gauche. Quelle mise en scène!

Si j'en crois la dernière rumeur, MacKenzie prenait une leçon de plongée, samedi, avec un super beau gosse de troisième, quand elle s'est «fracturé le tibia» en tentant de le sauver de la noyade. On raconte qu'elle lui a fait du bouche-à-bouche jusqu'à l'arrivée de l'ambulance. Et comme la dernière volonté de ce pauvre type était qu'elle l'accompagne à l'hôpital, elle a été obligée d'annuler sa fête d'anniversaire.
Elle est reportée au samedi 12 octobre et aura lieu au club de ses parents. Bien JOUÉ!!

MacKenzie est une MENTEUSE et une COMÉDIENNE de première! Pourquoi n'a-t-elle pas tout simplement dit la vérité et avoué qu'elle avait annulé sa fête parce que sa maison était infestée de cafards et puait l'insecticide?

Aujourd'hui, j'avais vraiment hâte que midi arrive. Chloë et Zoey étaient encore plus impatientes que moi. Assises à notre table habituelle, nous avons avalé notre déjeuner le plus vite possible.

Puis j'ai relevé la manche de Zoey, pris mon feutre porte-bonheur et commencé à lui dessiner un tatouage. Elle n'arrêtait pas de rire et de dire que ça piquait. Alors je lui ai dit :

« ÉCOUTE, ZOEY : TAIS-TOI ET NE BOUGE PLUS, OU JE TE DESSINE D'HORRIBLES BÉBÉS SERPENTS !! »

Heureusement pour elle, elle s'est tenue tranquille.

Tout le monde nous regardait, mais j'ai ignoré tous ces curieux
et j'ai continué à dessiner. Le tatouage était très réussi
et Zoey l'a adoré :

Je venais juste de commencer le tatouage de Chloë
quand il s'est passé quelque chose de très étrange.

Jason Feldman s'est levé et a quitté la table des CCC
pour venir s'asseoir avec nous. C'est LE mec le plus cool
de tout le collège et il représente les élèves au conseil
d'établissement.

Physiquement, je lui donnerais 9,93 sur 10.

« Tu fais un tatouage avec un feutre ? Génial ! On dirait un vrai !
Je connais, parce que mon frère vient de s'en faire faire un
pour ses dix-huit ans. »

« C'est dans le cadre de notre projet ABS pour la Semaine
nationale des bibliothèques », a répondu Chloë en battant
des cils.

« Oui, et j'ai lu dans un magazine que les tatouages sont
TROP FASHION ! » a ajouté Zoey d'une voix très nasillarde,
un peu comme celle de Paris Hilton.

Franchement, les entendre toutes les deux raconter des c...
pareilles m'a donné la nausée. À tel point que j'ai cru
que j'allais vomir mon déjeuner sur les genoux de Jason.

« Qu'est-ce que je peux faire pour en avoir un, moi aussi ?
a demandé Jason, tout excité. Faire don d'un livre,
par exemple ? Vous avez un formulaire, pour s'inscrire ? »

Les visages de Zoey et de Chloë se sont illuminés en même
temps, et j'ai vu une petite ampoule clignoter dans leur crâne.

J'ai soupiré en levant les yeux au ciel. D'abord, il y a eu ce truc de tatouage, ensuite le ballet des zombies et après, le projet de fuguer et de vivre dans les tunnels secrets, sous la Grande Bibliothèque de New York City.

Je commençais à en avoir assez de tout ce cinéma.

Chloë battit une nouvelle fois des cils en direction de Jason. « C'est Nikki la directrice artistique, moi je m'occupe de la collecte des ouvrages, et Zoey est responsable de la programmation. Zoey, tu peux donner à Jason un formulaire d'inscription ? »

« Euh... Quel formulaire ? » a demandé Zoey, un peu perdue.

Chloë lui a fait un clin d'œil et a dit très fort : « Mais enfin, Zoey, tu sais bien, celui qui se trouve dans ton agenda ! »

Zoey a fini par capter. «Ah oui, bien sûr!» Elle a regardé Jason en riant nerveusement.

Zoey a sorti son agenda, puis elle a déchiré une feuille, a griffonné «DEMANDE DE TATOUAGE» en haut et l'a donnée à Chloë.

Chloë a ajouté les mots : «DON DE LIVRES (NEUFS OU USAGÉS) EXIGÉ» en majuscules bien épaisses et l'a tendu à Jason.

J'étais choquée et écœurée de voir Chloë et Zoey mentir comme ça. J'ai toujours pensé que l'honnêteté était une qualité très importante, chez un(e) ami(e).

Jason a écrit son nom sur la feuille, puis a crié à ses copains, à l'autre bout de la cantine : «Hé, Ryan! Appelle Matt et viens voir ça!»

Ryan Crenshaw valait 9,86, et Matt Thompson 9,98. Ils sont venus à notre table, juste à côté de Jason.

Puis ils ont tous les trois commencé à rire et à nous parler comme si on faisait partie du CCC.

C'est alors que j'ai décidé que même si j'appréciais beaucoup l'honnêteté chez mes amies, je préférais de loin qu'elles me branchent sur des super beaux mecs.

De plus, Chloë et Zoey ne mentaient pas vraiment. Elles enjolivaient des vérités inventées de toutes pièces...

Pourtant, même si j'appréciais toutes ces attentions inespérées, je ne pouvais cesser de me torturer l'esprit avec la question suivante : pourquoi les trois plus beaux mecs du collège venaient-ils soudain s'asseoir à notre table pour nous draguer, Chloë, Zoey et moi, les trois filles les plus NOUILLES du monde ?

Et que voulaient-ils exactement ?

J'ai vraiment dû me faire violence pour méditer cette question aussi étrange que troublante :

Mon feutre porte-bonheur était-il
en train de FONDRE à la chaleur
de ces représentants
masculins du CCC?

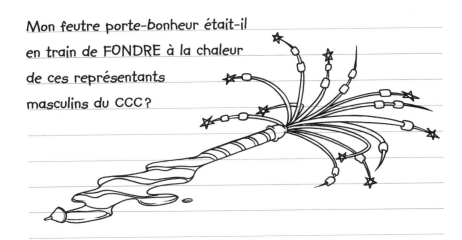

Voici les TROIS raisons de mon inquiétude...

JASON (l'intello)   RYAN (le sportif)   MATT (le mauvais garçon)

En l'espace de quelques minutes, sept mecs s'étaient
précipités à notre table et se faisaient passer la feuille
d'inscription, tout en parlant des super-tatouages
que j'allais leur dessiner...

J'ai enfin terminé le tatouage de Chloë, qui l'a trouvé parfait.

Jason a relevé sa manche et pris la place de Chloé.

« Eh, les gars, sur mon tatouage, y aura marqué
"GUITAR HERO" !! »

Alors, tous ses copains se sont mis à lui taper dans le dos
et à lui faire des « high five ». Il avait l'air content de lui,
un peu comme s'il venait de s'acheter une voiture de sport.

Puis une bande de filles s'est rassemblée autour
de la bande de garçons pour me regarder dessiner
le tatouage de Jason.

« C'est la nouvelle, non ? »

« Je crois que son casier est à côté de celui de MacKenzie. »

« C'est LA meilleure artiste de tout le collège. »

« Eh, moi aussi, je veux m'inscrire ! Fais-moi passer la feuille. »

« Comment elle s'appelle ? »

« Mikki, Rikki ou Vicki, je crois. »

« Je ne connais pas son nom mais elle a du talent, en tout cas ! »

« Je suis SUPER jalouse ! Je ne suis même pas capable de dessiner un bonhomme ! »

« Elle est avec moi en français. Elle s'appelle Nikki Maxwell ! »

« J'ADORERAIS dessiner sur Jason Feldman. Il est TROP beau ! »

« OMG ! Je donnerais n'importe quoi pour être à la place de Nikki Maxwell ! »

Je commençais à me sentir comme une POP STAR!

Les seuls CCC qui n'étaient pas à notre table étaient Hollister
MacKenzie et sa petite bande. Elles nous fixaient,
depuis l'autre bout de la cafétéria.

À la fin de la pause déjeuner, j'avais dessiné sept tatouages.
Chloë avait collecté neuf livres, et Zoey avait donné
rendez-vous à neuf personnes pour le lendemain midi.

Nous avons trouvé un nom pour notre projet ABS :

« Échange un livre contre un tatouage ! »

Tout le collège ne parlait que de ça.

Mme Peach a dit que c'était une merveilleuse idée de collecter des livres et qu'elle était vraiment fière de nous. Brandon m'a félicitée et a dit qu'il voulait m'interviewer, vendredi, pour le journal du collège, dans la rubrique « info de dernière minute ». Il a ajouté qu'il photographierait quelques élèves avec leurs tatouages pour illustrer l'article. J'ai hâte d'être à vendredi ! Peut-être deviendrons-nous bons amis ?

Mais le truc le plus génial, dans toute cette histoire, est que Chloë, Zoey et moi avons commencé notre journée comme des NOUILLES d'ABS et l'avons terminée en DIVAS DES CCC !

C'EST TROP COOL, NON ??! ☺

MARDI 1ᴱᴿ OCTOBRE

	Aujourd'hui	Total
TATOUAGES	17	24
LIVRES	34	43

Cette folie des tatouages a vraiment marché à fond !
J'en ai fait onze pendant la pause déjeuner et la plupart
des CCC sont venus à notre table me regarder. C'était super
cool d'être avec eux et ils n'étaient ni méchants ni frimeurs.
Il faut apprendre à mieux les connaître, c'est tout.

J'ai fait six autres tatouages pendant ma permanence,
à la bibliothèque. On aurait dit que tout le monde s'y était
donné rendez-vous !

Mᵐᵉ Peach m'a dispensée du rangement des livres
puisque je participais d'une autre manière à notre projet.

Nous en étions à 43 livres collectés, ce qui est fantastique.
Mais c'était surtout grâce à Chloë qui a décidé de demander
deux livres par tatouage au lieu d'un seul.

Zoey et moi, on trouvait qu'un livre, c'était très bien.

Mais Chloë a répondu que c'était elle qui s'occupait de la collecte des livres. C'était donc à elle de décider, et non à nous, et notre opinion ne comptait pas. Un peu GONFLÉ, non?

Alors j'ai dit : « D'accord, Chloë ! Je te signale qu'il s'agit d'un projet de GROUPE ! Depuis quand tu te prends pour la REINE, toi ? »

LA GRANDE CHLOË, REINE DES LIVRES →

Mais je n'ai dit ça que dans ma tête, et personne d'autre que moi ne l'a entendu. Résultat : maintenant, chaque tatouage nous rapporte DEUX livres, même si je trouve que ça fait un peu beaucoup, personnellement. ☹

	Aujourd'hui	Total
TATOUAGES	19	43
LIVRES	57	100

Avant, je rêvais que chaque élève du collège connaisse mon nom et voilà qu'aujourd'hui, avant même la première heure de cours, plus d'une vingtaine de personnes m'avaient dit bonjour. Ça me fait plaisir d'avoir tous ces nouveaux amis. ☺

En cours de SVT, on devait choisir un binôme pour observer un grain de poussière au microscope. J'étais convaincue que Brandon allait me demander de travailler avec lui. Mais trois personnes l'ont devancé.

« Eh, Nikki, on se met ensemble, comme ça on pourra parler de mon nouveau tatouage. » Mais je ne voulais pas parler de tatouages à des gens que je connaissais à peine. Je voulais avoir une véritable conversation intime avec Brandon au sujet des acariens.

En fin de compte, je me suis retrouvée avec Alex Hamilton, la capitaine des pom-pom girls. Elle n'a pas arrêté de me parler de son groupe et de me dire qu'elles voulaient un tatouage super sexy pour leur grand match contre le collège Central – qui, en passant, aura lieu vendredi.

Je le savais déjà, je l'avais entendue en parler avec ses copines, le matin, devant mon casier. Après la deuxième

EH ? MAIS OÙ ELLE EST PASSÉE ???

heure, il y en a deux ou trois qui m'attendaient et elles avaient l'air assez vénères.

Je n'avais pas peur d'elles mais je me suis quand même cachée dans mon casier parce que parfois, je suis un peu timide.

MOI, CHASSÉE PAR UNE BANDE DE POM-POM GIRLS EN COLÈRE !

J'ai dit à Alex qu'il fallait s'inscrire auprès de Zoey.
Mais elle m'a répondu que Zoey avait une liste d'attente
de 149 personnes à tatouer entre aujourd'hui et mercredi
prochain, mais qu'elle avait besoin des tatouages tout de suite
car il s'agissait d'une urgence. Elle a ajouté qu'elle avait déjà
donné trois livres pour chaque tatouage et que Chloë avait
accepté de placer les pom-pom girls en tête de liste.

Ah bon, c'était TROIS livres, maintenant?

J'ai répondu à Alex que c'était Zoey qui était chargée de
collecter des livres. Ce que lui avait affirmé Chloë ne comptait
donc pas. Alex l'a mal pris et a refusé de m'aider à rédiger
le rapport de laboratoire sur les acariens. Tu parles
d'un binôme de TD!

Mais ce qui m'a vraiment énervée, c'est que Zoey avait
programmé 149 personnes sans m'en parler AVANT.
J'ai une interro de français vendredi et un devoir de géométrie
lundi prochain, et comme j'ai à peine 7 de moyenne
dans ces deux matières...

Comment réviser si je dois veiller tous les soirs jusqu'à minuit pour dessiner des tatouages? Je n'ai même plus le temps de déjeuner!

À la sortie du collège, Samantha Gates m'a arrêtée pour me dire qu'elle ADORAIT son tatouage de Justin Timberlake. Elle a dit que toutes ses copines du club de théâtre en voulaient un aussi. Elle m'a invitée à les rejoindre après les cours, vendredi, et je lui ai répondu que je lui ferai signe. Mais comment avoir une vie sociale quand on dessine des tatouages 7 jours sur 7? ☹

	Aujourd'hui	Total
TATOUAGES	33	76
LIVRES	99	199

Quelle journée POURRIE! J'ai l'impression que Chloë, Zoey et tous les autres ne s'intéressent plus qu'à une chose : les TATOUAGES.

Ce matin, je suis arrivée au collège en avance et j'en ai dessiné neuf. Ensuite, j'en ai fait quatorze pendant la pause déjeuner et dix autres à la bibliothèque. Ça fait 33 en tout!

J'ai entendu Zoey dire à Chloë, derrière mon dos, que je travaillais aussi lentement qu'un «escargot constipé dans une tempête de neige», et qu'il fallait que je passe à la vitesse supérieure parce qu'elle avait 216 personnes sur liste d'attente pour la semaine prochaine. Il n'est pas question que je dessine 216 tatouages en une semaine! Je suis allée voir Zoey et je le lui ai dit en face – mais très gentiment.

Ensuite, Chloë a voulu savoir pourquoi j'avais dit à Alex de ne pas tenir compte de son avis. Elle m'a expliqué que

comme les pom-pom girls avaient un match important,
elle avait pensé qu'il fallait leur donner la priorité. C'est là que
Zoey a dit qu'en tant que responsable de la programmation,
c'était à elle de décider et qu'elle se fichait complètement
de ce que pensait Chloë – soit exactement la même chose
que ce que Chloë nous avait dit quelques jours auparavant.

À ce moment-là, Mme Peach est venue nous prier de baisser
le ton en nous rappelant que nous étions dans une bibliothèque.

Mais je n'étais pas tout à fait d'accord.
Ce n'était pas une bibliothèque...

MAIS UN STUDIO DE TATOUAGE
À LA CHAÎNE !!!

Moi (l'air
très malheureux)

240

TATOUAGES AUJOURD'HUI - ZÉRO POINTÉ!
LIVRES AUJOURD'HUI - ZÉRO POINTÉ!

POURQUOI?

Ça a commencé avec Chloë et Zoey, qui étaient furieuses parce que je n'étais pas arrivée en avance et que dix-sept personnes attendaient leurs tatouages.

Désolée, mais j'avais une interro de français à réviser.

Ensuite, à la pause déjeuner, il y avait une queue de vingt-cinq personnes. Mais au lieu de s'asseoir à la table 9 et de m'aider, Chloë et Zoey se sont installées à la table des CCC, à l'autre bout de la cafétéria.

Je les voyais ricaner et draguer Jason, Ryan et Matt pendant que je trimais comme une esclave, genre Cendrillon!

J'ai failli CRAQUER quand j'ai vu MacKenzie distribuer
à Chloë et à Zoey des INVITATIONS pour sa fête
d'anniversaire – reportée au samedi suivant!

Des enveloppes roses entourées de rubans de satin blanc,
exactement comme celle qu'elle m'avait donnée – et reprise
lorsqu'elle m'avait DÉSINVITÉE!

Chloë et Zoey avaient l'air super contentes et ne quittaient
plus MacKenzie, alors qu'elles savaient très bien
qu'elle me détestait!

Alors j'ai fait la chose la plus sensée et la plus raisonnable
étant donné les circonstances :

J'AI DÉMISSIONNÉ! ☹

Si je dessine encore un seul tatouage, je vais

VOMIR!

Je croyais que Chloë et Zoey étaient mes vraies amies.

Maintenant, j'ai compris qu'elles se sont servies de moi pour gagner ce voyage à New York!

COMMENT ONT-ELLES PU ME FAIRE UNE CHOSE PAREILLE?

Brandon s'est approché de mon casier, tout sourire, et m'a demandé si j'étais disponible pour une interview, après les cours. Je lui ai dit que c'était impossible parce que j'avais mis fin à ma carrière de tatoueuse! Il m'a demandé si j'allais bien, et j'ai répondu : « Oui, super! J'ai besoin de me faire de nouveaux amis, c'est tout. » Il m'a fait un clin d'œil, un peu gêné. Puis il a haussé les épaules et a disparu.

Maintenant, Chloë, Zoey et Brandon s'éclatent ensemble!

J'espère qu'ils vont bien s'amuser, tous les trois, à la petite fête de Mackenzie, parce qu'ils sont invités tous les trois, ET PAS MOI!

Je ne suis pas jalouse, pas du tout, même.
Ce serait vraiment puéril, non?

J'ai fait un cauchemar affreux! C'était comme dans un vieil épisode de *La Quatrième Dimension*, tu vois ce que je veux dire?

MacKenzie me crachait des cafards à la figure et j'entendais la sonnerie de 5 heures carillonner sans fin.

COMME SI TOUT LE MONDE ÉTAIT À MES TROUSSES!!

Dieu merci, j'ai fini par me réveiller. C'est alors que j'ai compris que c'était le matin et que le téléphone sonnait!

Je me suis hissée péniblement hors du lit et j'ai attrapé le combiné sur la table de nuit. C'était ma grand-mère qui appelait pour nous avertir de sa visite, à la fin du mois. Elle doit rester deux semaines. Je lui ai dit que les parents étaient sans doute sortis faire des courses puisqu'ils n'avaient pas répondu au téléphone.

Quand elle m'a demandé comment j'allais, j'ai répondu : « Pas très bien. » J'ai dit que je songeais à changer d'école et je lui ai demandé ce qu'elle ferait à ma place. Elle a répondu qu'il s'agissait moins de l'école que de moi et de mon comportement : est-ce que j'avais décidé d'être une poule mouillée ou une championne?

Ce qui, bien sûr, était COMPLÈTEMENT À CÔTÉ de la plaque. Comme Grand-Mère recommençait à dérailler, je lui ai dit que je l'aimais mais qu'il fallait que j'y aille parce qu'il y avait quelqu'un à la porte. Puis j'ai raccroché.

Je ne lui mentais pas car Brianna et miss Plumette se tenaient sur le seuil de ma chambre. Miss Plumette voulait que je la regarde chanter plusieurs extraits de *High School Musical 3* à la manière d'Amy Winehouse.

Ça faisait à peine trois minutes que j'étais réveillée
et je m'étais déjà occupée de ma grand-mère sénile,
de ma sœur hyperactive et d'un doigt maquillé en poupée.
Je me suis recouchée, j'ai remonté les couvertures sur ma tête
et j'ai crié pendant deux minutes entières.

ON DEVRAIT LES ENFERMER TOUS!

JE T'EN SUPPLIE, MON DIEU, fais que tout ça ne m'arrive pas, à moi! Aujourd'hui a été la pire journée de toute mon existence!

Tout a commencé dimanche soir, alors que j'étais à mon bureau en train de réviser pour l'interro de géométrie.

Ma mère est entrée dans la chambre vers minuit pour me dire qu'elle partirait très tôt le lendemain pour accompagner Brianna à une sortie scolaire.

« Nikki, comme tu as une interro et que le concours d'art a lieu demain, n'oublie pas de régler ton réveil et ne te rendors pas... »

« OK, d'accord, bonne nuit, Maman! »

J'avais vraiment l'intention de régler mon réveil. Juste après mes exos de géométrie...

Quand je me suis réveillée le lendemain matin, j'étais toujours à mon bureau, et mon livre de géométrie était encore ouvert.

J'ai failli faire une crise cardiaque car mon réveil indiquait 7 h 36, et que mon premier cours commençait à 8 heures!

La seule explication logique était que je m'étais endormie sur mon bureau, en révisant.

MOI EN TRAIN DE ROUPILLER

(ET DE BAVER SUR MON LIVRE DE GÉOMÉTRIE)

Ma journée commençait très mal !

J'avais eu une panne d'oreiller – enfin, si l'on peut dire –
et j'avais personne pour me déposer à l'école. Il fallait en plus
que j'emporte mon tableau pour le concours et mon interro
de géométrie commençait dans moins de vingt-quatre...
euh, non, vingt-trois minutes.

Même le temps reflétait mon humeur maussade.
Il faisait noir, le ciel était couvert, et il pleuvait des cordes.

Je luttais contre mes larmes quand, soudain, j'ai entendu
le roulement de la porte du garage. Je me suis précipitée
à la fenêtre et j'ai aperçu les faisceaux de deux phares
puissants.

C'ÉTAIT MON PÈRE ! Et il partait.

Paniquée, je suis sortie en trombe de ma chambre, en essayant
de m'habiller avant qu'il démarre. J'ai sauté dans mon jean
et j'ai enfilé ma veste à la hâte. Comme je ne trouvais pas
ma deuxième chaussure, j'ai décidé que j'irais chercher
mes baskets dans mon casier, une fois au collège.

J'ai attrapé mon sac à dos et ma peinture et je me suis ruée dans l'escalier ; au moment où je sortais de la maison comme une furie, mon père démarrait.

J'ai dévalé l'allée qui mène au garage en agitant les bras et en poussant des cris hystériques.

« Attends, Papa ! J'ai oublié de me réveiller !
Dépose-moi au collège ! »

Le problème, c'est que je ne pouvais pas courir très vite, avec mon sac à dos et mon tableau sous le bras. Et mes chaussons-lapins n'aidaient pas non plus, évidemment.

Hélas, mon père ne M'A PAS VUE ! 🙁

Je suis restée plantée là, sous la pluie, et je me sentais vraiment, vraiment, trop mal. Je n'arrivais pas à croire que j'allais louper le concours d'art, récolter un F en géométrie et un avertissement pour absence injustifiée, tout ça dans la même journée. Tout à coup, une boule énorme m'a saisie à la gorge, et j'ai eu de nouveau envie de pleurer.

Mon père a fini par remarquer ma présence dans son rétroviseur, car soudain il a pilé. Je me suis élancée en direction de la camionnette, en courant le plus vite possible.

Quand j'ai ouvert la portière, Papa a ricané : « Alors, la Belle au bois dormant a besoin d'un taxi, ou elle attend son prince charmant ? »

J'ai ignoré cette petite plaisanterie mesquine et je suis montée. J'étais trempée, mais heureuse et soulagée. Tout n'était pas perdu ! En tout cas, pas encore.

Mais j'étais aussi très inquiète. Pour la première fois
de l'année, j'allais au collège en cafarmobile !!

Si quelqu'un me voyait sortir de la camionnette,
j'en MOURRAIS, c'était certain !

Quand Papa s'est arrêté devant le collège, la pluie s'était
arrêtée. Heureusement, le seul autre véhicule en vue était un
grand camion, avec des hommes en uniforme occupés
à porter de grands panneaux de bois. Pour l'exposition,
sans doute.

J'ai remercié Papa, attrapé mon tableau et je suis sortie
de la camionnette. À l'instant où je m'apprêtais à fermer
la portière, Papa m'a fait un signe.

« Tu n'oublies pas quelque chose ? »

Avec précaution, j'ai posé mon tableau par terre,
appuyé contre la camionnette.

Puis j'ai ouvert la portière arrière pour attraper mon sac
à dos.

« C'est bon, j'ai tout ! Merci encore, Papa ! »

J'ai fait un signe de la main et claqué la portière.

J'étais tout étonnée d'avoir réussi à arriver entière
au collège – il me restait même 6 minutes avant le début
des cours ! En plus, personne ne m'avait vue sortir
de la cafarmobile, ce qui était un miracle.

C'est alors que j'ai remarqué une fille qui portait
un imperméable et des bottes Burberry's assortis descendre
de l'arrière du camion garé devant nous.

« Eh, doucement, mec ! C'est une œuvre d'art, pas un vulgaire
bout de contreplaqué ! » lança-t-elle à l'un des hommes.

Je me suis immobilisée, songeant un instant à aller me cacher
dans la camionnette. Mais il était trop tard !

MacKenzie en est restée bouche bée.

Tout d'abord, elle a eu l'air surprise de me voir, moi,
la camionnette et Max (le cafard). Puis ses lèvres se sont
retroussées en un sourire diabolique.

« Attends une minute ! *Maxwell désinsectisation*, c'est...
l'entreprise de ton père ?! Et c'est quoi, cet horrible truc
sur le toit, un cheval mort ? Laisse-moi deviner... C'est fait
pour aller avec les lapins morts que tu as aux pieds ?! »

Je la fixais, incapable d'articuler un mot.

D'accord, MacKenzie était la reine incontestée de la mode
et du look. Elle avait plus d'amies que moi, une plus belle
chambre, une plus grande maison...

Mais, sur un autre terrain, j'avais les moyens de la battre.

L'art contemporain était une question de talent PUR
et AUTHENTIQUE et ça, ça ne s'achète pas avec l'argent
des parents.

C'étaient ses super-gravures de mode contre mes aquarelles...

Soudain, je me suis rappelé mon tableau. Au moment
où je me retournais pour le prendre, mon père a démarré.

Trop tard ! Le souffle coupé, j'ai regardé le pneu de
la camionnette écraser lentement le cadre en bois ancien
et avec lui, mes rêves et mes espoirs. C'était horriblement
douloureux : mon œuvre unique, que j'avais mis plus
de 130 heures à créer et à peindre, totalement détruite
en l'espace de quelques secondes...

Mais voir mon tableau tordu, écrabouillé, et sali dans le caniveau n'était rien à côté de l'insulte que MacKenzie m'a lancée.

« Oh non! C'était ton petit travail pour le concours? Quel dommage! Tu n'as qu'à y coller des insectes et le présenter comme une œuvre contemporaine intitulée *Cafards sur détritus*, signée Maxwell. »

Puis elle a ricané comme une sorcière et s'est éloignée en roulant les fesses. Je déteste quand elle fait ça!

Accablée, j'ai regardé la cafarmobile tourner au coin de la rue et disparaître.

Pour la première fois de ma vie, j'aurais préféré être dedans, bien au chaud et au sec, en train de m'éloigner d'ici à toute vitesse. Loin de MacKenzie. Loin des amis qui n'étaient pas vraiment MES amis. Loin du collège Westchester Country Day.

Je n'étais pas faite pour cet endroit et j'en avais assez d'essayer de m'intégrer. Je me suis assise sur le bord du trottoir, tout près des restes de mon tableau. Et j'ai pleuré. La pluie recommençait à tomber, mais je m'en fichais.

J'étais là depuis une éternité, tentant de mettre de l'ordre dans mes pensées, quand je me suis aperçue qu'il avait cessé de pleuvoir. Sur moi, en tout cas.

Puis j'ai reconnu cette odeur d'assouplissant à la lavande, de déodorant Axe et... de réglisse.

J'ai levé les yeux, surprise et un peu gênée de voir Brandon, qui tenait un parapluie au-dessus de ma tête.

« Euh... ça va ? »

Je n'ai pas répondu.

Alors, il m'a tendu la main, que j'ai regardée en soupirant. À force de rester sous la pluie, j'aurais pu attraper une pneumonie et mourir. Ce qui, soit dit en passant, ne me paraissait pas si grave.

J'ai saisi sa main et, lentement, il m'a aidée à me relever.

Je me sentais anéantie, malheureuse, ridicule...

J'ai levé les yeux au ciel, puis me suis mouchée d'un revers de manche. Je ne voulais pas qu'il me voie pleurer.

Nous étions là, debout tous les deux, silencieux. Il me regardait et moi, je regardais par terre.

Soudain, Brandon a plongé la main dans sa poche pour en extirper ce qui ressemblait à un mouchoir tout froissé.

« Euh... Je crois que tu as... quelque chose sur la figure. »

J'ai répondu d'un ton sarcastique : «De la MORVE, probablement!», et lui ai pris le mouchoir des mains.

«Oui, sans doute», a-t-il confirmé, en faisant de gros efforts pour ne pas éclater de rire.

«Et... je kiffe tes chaussures!»

«C'est PAS des chaussures, mais des chaussons-lapins! J'étais TRÈS TRÈS pressée ce matin, tu comprends!»

Je lui ai lancé un regard furieux.

«Et... tu as eu un petit problème avec ton tableau, on dirait.»

«Ça, tu peux le dire!»

«Eh bien, si ça peut te consoler, MacKenzie va présenter des espèces de poupées en carton grandeur nature. Je dirais que ton œuvre est toujours meilleure que la sienne. Même en vingt-sept morceaux, et couverte de boue – et de quelques vers de terre.»

Un sourire espiègle se dessina peu à peu sur le visage de Brandon.

« Tout le monde sait que tu as plus de talent que... »

Je l'ai interrompu, sans pouvoir m'empêcher de rougir :
« Oui, je sais ! JE SAIS ! » Je déteste quand il me dit
des choses comme ça !

Même si j'étais en colère contre le monde entier,
il fallait reconnaître que tout ça était plutôt drôle.
Étrangement drôle.

J'ai fini par rendre son sourire à Brandon, et il m'a fait
un CLIN D'ŒIL. Quel ouf ! Mais il est sympa. Il a un sens
de l'humour plutôt spécial, et puis il est à la fois sympathique
et un peu timide. Contrairement à moi, il n'est pas obsédé
par ce que les autres pensent de lui. Je crois que c'est
ce qui me plaît le plus chez lui.

« Merci pour le parapluie ! »

« Je t'en prie ! »

Nous avons gagné ensemble l'entrée du collège.

Même si le bâtiment était chauffé, je me sentais frigorifiée.

Mes chaussons étaient trempés, et j'avais l'impression
d'avoir aux pieds des éponges imbibées d'eau glacée.

« Il faut que j'aille chercher mes chaussures dans mon casier
et que j'appelle mon père. J'espère qu'il pourra me déposer
des vêtements secs. »

« Je t'accompagne au bureau, d'accord ? J'ai cours juste
à côté. »

Au moment où nous nous engagions dans le couloir, quelques
élèves se sont arrêtés pour nous regarder, tandis que d'autres
nous montraient du doigt en riant. Je les ai ignorés.

Je savais que j'avais l'air d'une folle. À chaque pas,
mes chaussons faisaient flotch flotch flotch, et laissaient
de petites empreintes derrière moi.

Quand je suis enfin arrivée à mon casier, une foule d'élèves
étaient déjà rassemblés devant. Tout d'abord, j'ai cru qu'ils
voulaient se faire tatouer, mais tout le monde a déguerpi
en m'apercevant.

C'est là que j'ai découvert ce qu'ils regardaient.

C'était comme un coup de poing dans l'estomac,
si fort que j'en avais le souffle coupé. La main sur la bouche,
j'ai tenté de retenir mes larmes, pour la énième fois ce matin...

L'insulte avait été écrite avec quelque chose qui ressemblait à Baiser doré cannelle...

... le gloss préféré de MacKenzie !

«Je... je suis vraiment désolé, bégaya Brandon. C'est un truc de naze, d'écrire des trucs aussi débiles... »

Je n'ai pas entendu la fin de sa phrase.

J'ai fait demi-tour, me suis frayé un chemin dans le couloir bondé et me suis dirigée tout droit vers le bureau pour appeler mes parents.

Je n'en pouvais plus !

Je voulais quitter le collège Westchester Country Day...

... pour ne JAMAIS revenir !

Aujourd'hui, je suis restée à la maison avec un rhume
et j'ai passé toute la journée au lit à boire du thé au citron.

L'émission de Tyra Banks était top, comme d'habitude,
mais elle n'est pas arrivée à me mettre de bonne humeur.

Hier, quand mon père est venu me chercher au collège,
je me suis dit que ma réaction était peut-être exagérée.

Voir mon tableau réduit en milliards de morceaux m'avait
pas mal traumatisée, mais c'était surtout Mackenzie
qui me pourrissait la vie.

Le Westchester n'était peut-être pas si horrible que ça.
Avec Chloë et Zoey, on pourrait peut-être redevenir copines.
Et puis, peut-être que Brandon ne me trouvait pas aussi
naze que ça !

Alors, le lundi après-midi, j'ai appelé le standard
de la bibliothèque pour parler à Chloë et Zoey.

Pour tout dire, j'avais un peu envie de savoir à quoi ressemblait l'œuvre de Mackenzie. Oui, je l'avoue, j'en mourais d'envie ! Mes doigts tremblaient quand j'ai composé le numéro.

« Bibliothèque, Zoey à l'appareil. »

« Salut, Zoey, c'est moi, Nikki. J'appelais juste pour savoir comment ça allait. Tu ne croiras jamais ce qui m'est arrivé ce matin... »

J'ai entendu la voix étouffée de Chloë à l'arrière-plan.

« OMG ! C'est elle ?! Dis-lui que tu peux pas lui parler pour l'instant parce qu'on est super occupées. On n'a pas de temps à perdre. »

Zoey a bégayé : « Euh... ça va, Nikki ? Brandon nous a tout raconté. En fait, il est juste à côté de moi en ce moment. C'est trop dommage, pour ton tableau... »

« Oui, c'est vrai. Mais qu'est-ce que vous fabriquez, tous les tr... ? »

« Écoute, Nikki, faut vraiment que je raccroche,
maintenant. Nous avons vraiment... beaucoup de travail.
Tu as le bonjour de Chloë et Brandon. »

« Attends, Zoey ! Je voulais juste... »

« Désolée, faut que j'y aille. Salut, à demain. »

CLIC !

Ça ne faisait plus aucun doute : Chloë, Zoey et Brandon
me détestaient. Il n'y avait rien d'autre à faire que
de me chercher un nouveau collège.

Et pleurer un bon coup.

Ce que je venais justement
de faire à d'innombrables
reprises durant
les dernières
vingt-quatre heures.

La seule chose positive
dans toute cette histoire,

c'est que mes parents sont si inquiets pour moi qu'ils ont
accepté de m'inscrire dans le collège public le plus proche.

J'ai remercié mon père de m'avoir aidée à intégrer
le Westchester en lui expliquant que malheureusement,
ça n'avait pas marché...

À ma grande surprise, Maman et Papa ont bien réagi
en apprenant que leur tableau d'anniversaire avait été détruit.

J'ai promis que j'en peindrais un autre, mais Brianna a insisté
pour le faire à ma place.

« Ne vous inquiétez pas, Maman et Papa ! Moi, j'ai presque
terminé votre nouveau cadeau d'anniversaire, et il est bien
mieux que la vieille peinture de Nikki ! »

Je n'étais pas très emballée par le projet artistique
de Brianna.

Quand je lui ai demandé s'il s'agissait d'une peinture
au doigt ou au pastel, elle a dit :

« Non ! J'ai dessiné au marqueur noir indélébile ! Juste là où les parents avaient accroché ton tableau ! »

Brianna a ajouté qu'elle avait intitulé son œuvre...

LA FAMILLE MAXWELL REND VISITE À LA PRINCESSE DRAGÉE SUR L'ÎLE DU BÉBÉ LICORNE

Quand Maman a découvert la fresque de Brianna, elle a failli s'évanouir. Puis Brianna a essayé de rejeter la faute sur miss Plumette.

Ça m'a fait du bien de rire de nouveau, après cette descente aux enfers.

Avec mes parents, nous sommes arrivés au collège trois quarts d'heure en avance afin de tout régler avant l'arrivée des élèves.

Pendant que Maman et Papa discutaient dans le bureau et remplissaient les papiers pour le changement d'établissement, j'en ai profité pour regarder les affiches colorées de l'exposition, près du grand hall.

J'avais beau me dire que je m'en fichais, il FALLAIT à tout prix que je sache si MacKenzie avait gagné. C'était une obsession...

En me dépêchant, j'avais le temps d'y jeter un coup d'œil avant de vider mon casier, puis de retourner au bureau et de quitter cet endroit, sans que personne m'aperçoive.

« J'y vais... » ai-je marmonné à mes parents. J'ai pris le carton vide que j'avais apporté pour y mettre mes affaires et me suis dirigée vers le hall d'entrée.

L'exposition était installée dans la grande salle des élèves, près de la cafétéria, et était présentée par classes. Je suis passée à toute vitesse devant les panneaux réservés aux sixièmes et aux cinquièmes pour m'arrêter devant ceux des quatrièmes. Il y avait environ vingt-quatre œuvres, et j'ai tout de suite repéré celle de MacKenzie.

Comme tout ce qu'elle fait, c'était grand, voyant et différent du reste. Elle avait peint sept mannequins grandeur nature qui portaient ses créations, sur sept panneaux de deux mètres de hauteur.

Je dois reconnaître qu'elle a du talent en tant que dessinatrice de mode.

Mais, étrangement, la médaille du vainqueur avec son ruban bleu n'était pas accrochée à ses œuvres.

Elle l'avait probablement déjà emportée chez elle pour la faire encadrer, comme ses photos de bébé.

Mais pas sûr...

À ma grande surprise, j'ai découvert le ruban bleu près
du tout dernier panneau.

Je ne pouvais pas m'empêcher d'avoir pitié du pauvre artiste
qui aurait à gérer le drame qu'avait provoqué la défaite
humiliante de MacKenzie...

L'œuvre primée était une série de gros plans, seize dessins
à l'encre, en noir et blanc.

Quand j'ai lu le nom
de l'artiste, écrit
en tout petit,
j'ai failli flipper.

LE CORPS ÉTUDIANT
PAR NIKKI MAXWELL

J'ai immédiatement
reconnu les tatouages
que j'avais dessinés
sur l'épaule de Zoey,
le bras de Chloë,
la nuque de Tyler,
la cheville de Sophia,
le poignet de Matt,
et ainsi de suite...

C'était donc ça, le fameux « projet » sur lequel Chloë, Zoey et Brandon étaient en train de travailler, quand ils étaient trop occupés pour me parler au téléphone !

Lentement mais sûrement, je suis redescendue sur terre :
« OMG ! J'ai gagné le concours d'art contemporain !
Et j'ai gagné 500 $! »

Tout ça grâce à Chloë, Zoey et Brandon ! Ils avaient dû élaborer ce plan génial en voyant mon aquarelle détruite. Et travailler des heures pour composer ce panneau topissime qui portait mon nom !

Je m'étais complètement trompée sur leur compte !
Ce sont les meilleurs amis que j'aie jamais eus ! En plus, une douzaine d'autres élèves avaient accepté de se faire photographier. Tout ça m'a complètement SCOTCHÉE !

Le Westchester Country Day n'était peut-être pas le pire collège du monde, après tout. Et puis, j'avais de vrais amis ici. Et – ce qui ne gâtait rien – j'étais riche maintenant, plus riche que j'avais jamais imaginé, même dans mes rêves les plus fous !

J'ai couru vers le bureau et j'ai ouvert la porte à la volée.

« Maman, Papa, j'ai changé d'avis. Je reste ! »

« Ma chérie, tu es sûre que ça va bien ? » a demandé ma mère d'un air inquiet.

« Oui, SUPER bien, Maman ! J'ai changé d'avis. Je veux rester. S'IL TE PLAÎT ! »

« Eh bien, à toi de décider. Tu es sûre ? » a demandé mon père en posant son stylo.

« Oui, Papa, sûre et certaine ! »

La secrétaire a rassemblé les papiers, puis les a déchirés et jetés dans la corbeille d'un air ravi.

« C'est une excellente nouvelle ! s'est-elle écriée. Et bravo pour ta victoire au concours d'art ! Je compte sur toi samedi, pour assister à la remise des prix, n'est-ce pas ? Le buffet sera délicieux... »

Mes parents m'ont regardée sans comprendre. Ma mère a ouvert la bouche pour parler mais je l'ai interrompue :

« Écoutez, je vous expliquerai plus tard, car je crois que vous avez un rendez-vous, non ? » J'ai souri en leur faisant un petit au revoir de la main dans l'espoir qu'ils partent plus vite.

Maman a déposé un baiser sur mon front. « D'accord, ma chérie. Nous sommes contents que tu aies décidé de rester ici. »

« Oui, et tu peux remercier *Maxwell désinsectisation* de t'avoir mis le pied à l'étrier ! a ajouté mon père avec un clin d'œil. J'étais sûr que tu t'adapterais ici, si tu voulais bien t'en donner la peine. »

« Euh... faut que j'y aille, maintenant... S'il te plaît, Papa, tu pourras jeter ça ? » ai-je demandé en lui tendant le carton vide.

Puis j'ai tourné les talons et je suis sortie en trombe du bureau.

Les couloirs commençaient à se remplir et quelques élèves venaient déjà me féliciter. En approchant de mon casier, je ne savais pas trop à quoi m'attendre, mais je me sentais prête à tout affronter.

Heureusement, le graffiti avait été effacé. Mais il y avait du nouveau sur la porte.

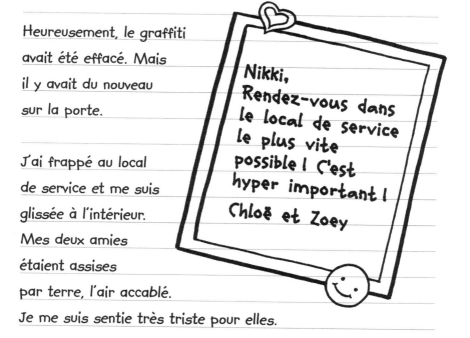

Nikki,
Rendez-vous dans le local de service le plus vite possible ! C'est hyper important !
Chloë et Zoey

J'ai frappé au local de service et me suis glissée à l'intérieur. Mes deux amies étaient assises par terre, l'air accablé. Je me suis sentie très triste pour elles.

« Nous te devons des excuses, a dit Chloë. Nous nous sommes laissé déborder par cette histoire de tatouages et de liste d'attente, et c'était pas cool pour toi. »

« Oui, et nous aussi on sait qui sont nos vrais amis, maintenant, a ajouté Zoey. Les CCC voulaient bien être nos copains tant que tu leur dessinais des tatouages, mais maintenant... Quelle bande d'hypocrites ! »

« En fait, j'ai eu la même impression que toi. Et cette bande de pom-pom girls m'a bien fait flipper », ai-je dit, sans pouvoir m'empêcher de frissonner à ce souvenir.

« Écoute, Nikki, a répondu Chloë, ne te fâche pas. Il faut qu'on t'avoue quelque chose... »

Zoey s'éclaircit la gorge.

« Eh bien... Quand on a appris que ton tableau avait été écrasé, on a fait le tour de tous ceux à qui tu avais dessiné les plus beaux tatouages et Brandon les a photographiés pendant la pause déjeuner. Ensuite, il a sorti ses photos sur l'imprimante du journal du collège. Mme Peach nous a laissés travailler un après-midi entier sur ce projet et nous l'avons appelé "Le corps étudiant". »

« Et tu ne devineras jamais ce qui s'est passé... » a soufflé Zoey, les larmes aux yeux.

« J'ai gagné ! »

« TU AS GAGNÉ ! » ont dit Zoey et Chloë en même temps que moi.

« Attends... Tu es au COURANT ? » a demandé Zoey, stupéfaite.

« Oui, je viens tout juste de le découvrir. »

« On sait qu'on n'aurait pas dû le faire sans te demander ton avis. Mais on n'avait pas vraiment le temps. Tu n'es pas fâchée, au moins ? » a risqué Chloë, en agitant les mains comme un clown, pour détendre l'atmosphère.

« En fait, si ! Je suis FURIEUSE ! »...

Chloë et Zoey ont baissé la tête, fixant leurs chaussures.

« Nous sommes désolées, nous voulions juste t'aider... »
a murmuré Zoey.

« Je croyais que vous étiez mes amies. Comment avez-vous pu
me faire une chose pareille ? J'en reviens pas ! J'aurais donné
n'importe quoi pour voir la tête de Mackenzie quand elle a vu
qu'elle avait perdu ! »

J'essayais tellement de me retenir de rire que mon nez s'est
mis à couler.

Mes deux copines ont commencé par lever vers moi un regard
perplexe. Puis, peu à peu, des sourires se sont dessinés
sur leurs visages, de plus en plus larges...

« OMG ! Nikki, tu aurais dû la voir ! s'est écriée Chloë.
Quand ils ont annoncé le nom du gagnant, elle a eu un choc ! »

« C'était à mourir de rire ! Elle a pété les plombs
devant le jury », a ricané Zoey.

Et nous n'avons pas cessé de rire, comme au bon vieux temps.

«Je crois que je viens d'entendre la première sonnerie... »

«Sortons d'ici avant de sentir le désinfectant!»

Chloë et Zoey ont ouvert la porte, puis se sont écartées pour me laisser sortir en premier.

«Honneur à l'artiste!» s'est écriée Zoey en me faisant sa plus belle grimace, bientôt imitée par Chloë.

J'ai répondu en riant : «Vous avez raison, les filles! Je suis bien la seule à avoir du talent, par ici!»

Et Chloë et Zoey m'ont tirée chacune sur un bras. «Aïe!»

JEUDI 10 OCTOBRE

Il y avait sûrement une promotion spéciale, hier,
au centre commercial, car quatre filles étaient habillées
exactement pareil, ce matin.

Je ne l'avais pas remarqué, jusqu'à ce que j'entende
Mackenzie se moquer d'elles, dans le couloir.

« OMG ! Regardez ! Elles portent toutes les mêmes horreurs !
Ah oui, j'ai compris : c'était offert pour l'achat d'un Happy
Meal chez McDo ! »

Il n'était que 7 h 45, et j'avais déjà envie de lui coller
un gros scotch sur la bouche !

Quand elle a fini par me voir, elle a joué les innocentes.

« Au cas où tu ne le saurais pas, ce n'est PAS MOI qui ai
taggé ton casier, et je ne suis pas la seule à porter Baiser
doré cannelle, tu sais... »

Je me suis contentée de lever les yeux au ciel.

Quelle menteuse !

Elle a arrangé sa coiffure et a admiré son image parfaite dans le miroir.

« Et puis, même si c'était moi, tu n'as aucune preuve », a-t-elle ajouté d'un ton perfide avant d'appliquer une couche de gloss.

Puisque j'étais condamnée à garder ce casier toute l'année, j'ai décidé d'appliquer la théorie de Zoey, selon laquelle « l'esprit domine la matière ».

Or, dans mon ESPRIT, il paraissait évident, soudain, que MacKenzie n'existait pas. Elle était inconsistante, dépourvue de « MATIÈRE », justement !

Pourtant, j'avoue qu'elle portait des boucles d'oreilles vraiment trop belles!

Pourquoi donc ce genre d'accessoire est-il SUBLIME sur les CCC, alors que si des filles normales (comme moi) les mettaient, elles auraient besoin de chirurgie reconstructrice?

CCC PORTANT DES BOUCLES D'OREILLES PENDANTES

FILLE NORMALE PORTANT DES BOUCLES D'OREILLES PENDANTES

Zoey, Chloë et moi avons déjeuné ensemble à la table 9 et plein de gens sont venus nous voir pour nous demander des tatouages. Vu le succès de notre projet, qui nous a déjà permis de récolter presque 200 livres, nous avons décidé

de continuer, mais seulement trois jours par mois,
à partir de novembre. Ce sera génial de ne pas avoir
à me cacher dans mon casier entre les cours.

Mais le plus drôle, c'est que je commençais à être impatiente
de partir à New York et que nous avions de bonnes chances
d'être sélectionnées. Imagine : Chloë, Zoey et moi
à Manhattan pendant cinq jours, sans nos parents !
Ce serait de la SUPER BALLE, non ?!

Comme c'est écrit dans *Top Girl* : « amis, amour, fête
& fringues » serait bientôt notre seule philosophie. Peut-être
même qu'on aurait des invit' pour assister à

L'ÉMISSION DE TYRA BANKS !

J'ADOOOORE CETTE FILLE !

J'avais aussi l'intention de profiter à fond des rencontres
prévues avec les auteurs. Je ne savais pas que les romans
dédicacés étaient aussi recherchés.

Je comptais en récupérer une demi-douzaine et les revendre sur eBay pour me faire plein d'argent. Et puis... BINGO!
Je me suis acheté l'iPhone dont je rêvais depuis si longtemps!
C'est pas top, ça?! ☺

Au fait, j'ai décidé de garder les 500 $ de mon prix pour l'été prochain, quand je partirai en colo artistique. Ce sera ma cinquième année, et l'organisatrice du concours a dit que mon book pourrait me permettre d'entrer aux Beaux-Arts.
Ce qui est génial, vu que je ne suis même pas encore entrée au lycée! Elle a dit que si je continuais à travailler comme ça, je pourrais décrocher une bourse dans une grande université.
C'est du DÉLIRE!

Brandon s'est arrêté à notre table pour demander s'il pouvait m'interviewer au sujet de ma victoire.

Je l'ai remercié pour les photos de mes tatouages.
Il a répondu que ce n'était rien et qu'il avait l'intention d'utiliser ces clichés pour illustrer un de ses articles.

Puis MacKenzie est arrivée, toute mielleuse, pour me féliciter.
J'étais si dégoûtée que j'ai failli rendre mon déjeuner sur ses Jimmy Choo!

Mais je crois qu'elle voulait draguer Brandon, car elle n'arrêtait pas de battre des paupières, comme si elle s'était collé ses faux cils directement sur l'œil.

Comment ose-t-elle faire une chose pareille sous mon nez ? Sans doute parce qu'elle a le QI d'un poisson rouge.

Même si nous avons décidé de ne plus faire de tatouages jusqu'au mois prochain, mais Chloë et Zoey ont quand même insisté pour que j'en dessine un tout de suite. Juste un...

POUR MOI.

Et il est TOPISSIME !

C'est vrai, je l'admets, j'ai eu tort de dire que ma grand-mère était sénile. Mais j'avais raison concernant miss Plumette !

Après la pause déjeuner, Brandon m'a accompagnée en SVT. D'un geste, il a chassé sa mèche rebelle et m'a souri d'un air timide.

« Je... Dis-moi, ça t'intéresserait de travailler avec moi au labo sur la structure des mitochondries ? »

Je n'arrivais pas à croire qu'il me demandait une chose pareille. Je l'ai regardé au fond des yeux et, très sérieusement, j'ai crié :

« OUIIIIIIIIII ! »

Je suis sûre qu'il m'a prise pour une FOLLE.

Mais je ne peux pas faire autrement :

JE SUIS UNE NOUILLE !

☺

Cet ouvrage a été réalisé par les Éditions Milan
avec la collaboration de Claire Debout.
Mise en pages : Graphicat

Titre original : *Dork Diaries 1 - Tales from my not-so fabulous life*

Pour l'édition française :
© 2012 Éditions Milan,
1, rond-point du Général-Eisenhower, 31101 Toulouse Cedex 9, France
Loi 49-956 du 16 juillet 1949
sur les publications destinées à la jeunesse
ISBN : 978-2-7459-5721-4
editionsmilan.com

Achevé d'imprimer en Italie par Grafica Veneta
Dépôt légal : 3ᵉ trimestre 2016